D1091435

Michel Kichka

DEUXIÈME GÉNÉRATION

CE QUE JE N'AI PAS DIT À MON PÈRE

WITHDRAWN
From Toronto Public Library

DARGAUD

PARIS • BARCELONE • BRUXELLES • LAUSANNE • LONDRES • MONTREAL • NEW YORK • STUTTGART

À tous ceux que j'aime, et ils sont nombreux.

Directrice de collection : Gisèle de Haan

www.dargaud.com

© DARGAUD 2012

PREMIÈRE ÉDITION
Imprimé sur un papier issu de forêts gérées durablement.
Tous droits de traduction, de reproduction et d'adaptation
strictement réservés pour tous pays.
Dépôt légal : mars 2012 • ISBN 978-2205-06850-4
Imprimé et relié en Italie par Lego Print

CHAPITRE 1

LE NON-DIT

PAPA NE PARLAIT PAS OU TRÈS PEU DE SA FAMILLE.

IL NE LUI EN RESTAIT QUE TROIS PHOTOS : SON PÈRE, SA MÈRE.

ET LA FAMILLE AU COMPLET. PHOTO PRISE À BRUXELLES JUSTE AVANT LA GUERRE. ON Y VOIT BERTHA, NICHA, JOSEPH, HANNAH ET LUI EN PANTALON DE GOLF À LA TINTIN. PETIT, JE N'AI CESSÉ DE LA REGARDER EN CACHETTE, EN VERSANT DE GROSSES LARMES QUE JE SÉCHAIS VITE DÈS QUE J'ENTENDAIS LES PAS DE MON PÈRE.

PAPA AVAIT DANS SA BIBLIOTHÈQUE DES LIVRES SUR LA GUERRE, SUR HITLER, SUR LE TROISIÈME REICH, SUR L'HOLOCAUSTE, QUI NE S'APPELAIT PAS ENCORE SHOAH. SOUVENT, JE LES FEUILLETAIS EN L'Y CHERCHANT... EN VAIN!

PARMI LES VISAGES DÉCHARNÉS, JE CHERCHAIS LE SIEN. MAIS COMMENT ÉTAIT-IL ALORS ?
IL PESAIT 30 KILOS ET DES POUSSIÈRES.
AVAIT-IL LA BARBE ?
OU LA MOUSTACHE ?
IL AVAIT À PEINE 19 ANS.
AVAIT-IL GARDÉ SES LUNETTES ?
OU LES AVAIT-IL PERDUES ?
AVAIT-IL DES CHEVEUX ?

PORTAIT-IL UNE CALOTTE ?
QUELLE COIFFURE AVAIT-IL ?
CELLE DU JOUR DU MARIAGE ?
OU CELLE DE LA PHOTO ?

J'AVAIS PEUR DE NE PAS LE RECONNAÎTRE.
J'AVAIS PEUR DE LE RECONNAÎTRE.

JE CHERCHAIS MA GRAND-MÈRE.

JE CHERCHAIS MON GRAND-PÈRE.

JE TROUVAIS QUE JE RESSEMBLAIS À CE GARÇON.

LE 11 NOVEMBRE, AVEC L'ÉCOLE, NOUS ALLIONS AU MONUMENT DU SOLDAT INCONNU, DÉPOSER UNE GERBE.

RENTREZ EN SILENCE, DEUX PAR DEUX !

POURQUOI UN SOLDAT INCONNU AVAIT-IL UNE STÈLE EN PIERRE DE TAILLE ALORS QUE MON GRAND-PÈRE N'AVAIT MÊME PAS UNE PIERRE TOMBALE?

MA FAMILLE ÉTAIT PARTIE EN CENDRES, EMPORTÉE PAR LE VENT MAUVAIS DE L'HISTOIRE.
T MACHT F
DES FANTÔMES HANTAIENT MES NUITS. JE VOYAIS MON PÈRE MORT AU DÉTOUR D'UN CAUCHEMAR.

JE ME RÉVEILLAIS EN PLEURS,
IL TENTAIT DE ME CONSOLER,
SANS ME POSER DE QUESTION.
D'AILLEURS, QUE LUI AURAIS-JE
RÉPONDU ? IL ME DISAIT :
"C'EST JUSTE UN MAUVAIS RÊVE !"

IL NE ME RACONTAIT PAS SA SHOAH.

JE NE LUI RACONTAIS PAS MES CAUCHEMARS.

J'AI PASSÉ TOUT MON CYCLE PRIMAIRE DANS LE PENSIONNAT DE L'ATHÉNÉE ROYAL DE SPA, ANCIENNEMENT GRAND HÔTEL BRITANNIQUE DE SPA, VILLE THERMALE, CAPITALE DES ARDENNES BELGES. CE N'ÉTAIT PAS LE CLUB MED, MAIS CE N'ÉTAIT PAS "OLIVER TWIST" NON PLUS. JE M'Y SUIS BIEN ADAPTÉ.

IRONIE DU SORT, LE FELD-MARÉCHAL ALLEMAND HINDENBURG Y AVAIT INSTALLÉ SON QUARTIER GÉNÉRAL PENDANT LA PREMIÈRE GUERRE MONDIALE, ET LE KAISER GUILLAUME II Y AVAIT SIGNÉ SON ABDICATION EN 1918. À LA FIN DE LA SECONDE GUERRE MONDIALE, LE LIEUTENANT GÉNÉRAL AMÉRICAIN COURTNEY HODGES Y ÉTABLIT SON ÉTAT-MAJOR.

DANS LES CAVES DU PENSIONNAT OÙ NOUS CIRIONS NOS CHAUSSURES, JE DÉCOUVRAIS DES INDICES IMPLACABLES DE L'HISTOIRE RACONTÉE DANS LES LIVRES DE MON PÈRE.
FAUT QUE ÇA BLINQUE, KICHKA!
Achtung!
QUE FAIS-TU, MITCHI ?
... RIEN, PAPA !
POURQUOI?
39-45
CAMPS de la MORT
WW II
Nuremberg
6.000.000
HITLER et les JUIFS
Jude
HISTOIRE
HISTOIRE des NAZIS
Achtung!
HIMMLER
GOERING
Le Führer
AUSCHWITZ
LA GESTAPO
J'ÉTAIS PERSUADÉ QUE, DERRIÈRE LA PORTE BLINDÉE, M'ÉPIAIENT DES SQUELETTES DE SS. C'EST POUR CELA QUE JE SUIS DEVENU LE CIREUR DE CHAUSSURES LE PLUS RAPIDE DU PENSIONNAT.
SPA
SCHNELL, KICHKA!

La Belgique
Merdu Nord
Knokke
HOLLANDE
Anvers
Gand
Bruxelles
Liège
Spa
FRANCE
ALLEMAGNE
LUX...
DELCOUR...
DELPORTE...
DUBOIS...
DUPONT...
DURAND...
PRÉSENT!
PRÉSENT!
PRÉSENT!
PRÉSENT!
Nouveau Testament
Nouveau Testament
Nouveau Testament
Nouveau Testament
Nouveau Testament
Nouveau Testament

Ai-JE CITÉ TOUT LE MONDE?
1. Baptême
2. Confirmation
3. Communion
PAS MOI, M'SIEUR!

ET TU T'APPELLES...
KICHKA, M'SIEUR!

MON P'TIT KICHKA, TON PAPA A MIS "RELIGION JUIVE" EN T'INSCRIVANT. TU NE DOIS PAS SUIVRE MON COURS. VA JOUER AU FOOT EN ATTENDANT!
MERCI, M'SIEUR!

COMME C'EST CHOUETTE D'ÊTRE JUIF !

À LA RÉCRÉ, LA CLASSE M'A REJOINT.
PARAÎT QUE T'AS TUÉ JÉSUS, NOUS A DIT L'ABBÉ !
C'EST MÊME PAS VRAI !

QUELLE PASSE EN OR, KICHKA !

IL SUFFIT D'UNE BONNE PASSE POUR FAIRE OUBLIER 2000 ANS D'ANTISÉMITISME. INCROYABLE !

SI J'AVAIS SU À L'ÉPOQUE QUE JÉSUS ÉTAIT NÉ JUIF ET QUE LA SAINT-SYLVESTRE CORRESPONDAIT À LA DATE DE SA CIRCONCISION, JE LEUR EN AURAIS BOUCHÉ UN COIN.

AU PENSIONNAT, NOUS ÉTIONS TROIS JUIFS ET LES SURVEILLANTS NOUS AVAIENT COLLÉ LES NOMS DES PATRIARCHES.
RONY, ON SE FAIT UN BABY-FOOT APRÈS?
D'AC, THIERRY! ET TOI, MICHEL?
JE REPRENDS LE VAINQUEUR.
ABRAHAM, ISAAC ET JACOB, FAITES VOS DEVOIRS EN SILENCE!!
Pelikan

QUAND UN QUATRIÈME EST ARRIVÉ, IL N'Y AVAIT PLUS DE SURNOM BIBLIQUE POUR LUI.
BONJOUR, MOI, C'EST FRANCIS!
LES MERCREDIS, UN RABBIN VENAIT D'ANVERS SPÉCIALEMENT POUR NOUS.
...ET DIEYE CRÉA LA TERRE ON SIX JOURS, EY LA SEPTIÈME JOUR...
...IL A FAIT INE BON SIESTE... COMME MOI!
La Genèse

IL TENTAIT DE NOUS APPRENDRE LA GENÈSE ET L'HÉBREU.
א
א
א
א
א

IL Y AVAIT DES FILS DE DIPLOMATES DU CONGO BELGE. ON FAISAIT ÉQUIPE AU FOOT. C'ÉTAIT EN QUELQUE SORTE LES MINORITÉS CONTRE LES AUTRES.

DANS LES DOUCHES, J'AVAIS DÉCOUVERT QU'EUX AUSSI ÉTAIENT CIRCONCIS.

ÇA, HERGÉ LUI-MÊME NE L'AURAIT JAMAIS IMAGINÉ!
HERGÉ
TINTIN AU CONGO

CE PETIT PRÉPUCE EN MOINS A ÉTÉ À L'ORIGINE D'UNE GRANDE AMITIÉ, QUI PRIT FIN QUAND ON ME RETIRA DU PENSIONNAT.

PAPA ME RENDAIT VISITE TOUS LES MOIS. IL ÉTAIT FIER DE MA RÉUSSITE SCOLAIRE.
ECOLE DE GARÇONS
JE N'AI PAS PU FINIR L'ÉCOLE À CAUSE DES NAZIS. ALORS, SOIS TOUJOURS PREMIER DE CLASSE. PROMIS ?
PROMIS, PAPA !

IL ME DISAIT : "AVANT LA GUERRE, J'ÉTAIS TOUJOURS PREMIER DE CLASSE".
BRAVO, HENRI !
Léopold III
1939
5
1 + 1 2
FAYOT !
AVAIS-JE LE CHOIX ?
BRAVO, MICHEL !
Baudouin Ier
1:1=1
FAYOT !
IL APPOSAIT SA SIGNATURE SEMI-BAROQUE SUR MES BELLES NOTES.
Michel Kichka
Calcul
1+1=2
10/10
1.B

UN WEEK-END SUR TROIS, QUAND JE RENTRAIS À LA MAISON, IL M'ENVOYAIT EXHIBER MON BULLETIN AUX COMMERÇANTS DE SERAING.

J'AVAIS DROIT À UNE GLACE DE JAJA, MON GRAND-PÈRE.

UNE FOIS PAR SEMAINE, PAPA FAISAIT LA TOURNÉE DES CONFECTIONNEURS À BRUXELLES, DANS LE QUARTIER MÊME OÙ IL AVAIT ÉTÉ ARRÊTÉ EN 1942.
MIDI
SALIK
33
SPIROU
Côte D'Or
LOMBARD

SON PASSÉ LE POURSUIVAIT COMME UNE OMBRE. IL REVENAIT FOURBU, MAIS AUSSI ABATTU.
AAAHH!! MES PAUVRES PIEDS ! ÇA FAIT DU BIEN!
ENCORE, PAPA ?

IL AVAIT LES ORTEILS TORDUS ET LES ONGLES JAUNIS. J'EN AVAIS MAL AU COEUR.
C'EST LES BOCHES QUI ME LES ONT ABÎMÉS. ON MARCHAIT DANS LA NEIGE PAR MOINS TRENTE-CINQ AVEC DES CHAUSSURES EN BOIS !

MON PAUVRE PÈRE A EU LES PIEDS GELÉS PENDANT LA MARCHE DE LA MORT. PEU DE TEMPS APRÈS NOTRE ARRIVÉE À BUCHENWALD, LA GANGRÈNE L'A EMPORTÉ !

IL EN RAMENAIT DU PAIN, DES SAUCISSES ET DES CORNICHONS QUE NOUS APPELIONS DU PAIN JUIF, DES SAUCISSES JUIVES ET DES CORNICHONS JUIFS.

À SPA, ON FAISAIT BEAUCOUP DE BALADES EN FORÊT. UN JOUR, SOUS PRÉTEXTE D'ALLER FAIRE PIPI...

JE ME SUIS ÉLOIGNÉ DU GROUPE...

POUR GOÛTER UN PEU DE NEIGE.

NI MAUVAIS...

LE MAGASIN DE MES PARENTS S'APPELAIT "LUCIA HABILLERIE". L'ARRIÈRE-BOUTIQUE ÉTAIT LE ROYAUME DE PAPA. PENDANT QUE MAMAN, "MADAME LUCIA", ÉTAIT À LA VENTE, IL Y FAISAIT SES ÉTIQUETTES. À CHAQUE VÊTEMENT SON ÉTIQUETTE CALLIGRAPHIÉE RECTO VERSO AVEC TAILLE, PRIX ET NUMÉRO DE CATALOGUE. UN TRAVAIL MÉCANIQUE ET RÉPÉTITIF, CENSÉ L'EMPÊCHER DE PENSER ET D'AVOIR DES IDÉES NOIRES.
DEMAIN, OPÉRATION "BOÎTES DE LAIT" POUR LES ENFANTS DU BIAFRA...
Poids 32 kg
1,150 jours
MATRICULE 177789
JE PENSE AU CONTRAIRE QU'IL S'ENFERMAIT DANS L'ARRIÈRE-BOUTIQUE AVEC SES DÉMONS : ILS ÉTAIENT INSÉPARABLES.
177789
1,942
1,945

J'AI VENDU UN TAILLEUR ET DEUX CHEMISIERS À MADAME MARINETTE.
QUAND ELLE EST PARTIE, J'AI DÛ AÉRER LA CABINE D'ESSAYAGE !
HISTORIA

QUAND LA BELGIQUE A VOTÉ LA RETRAITE ANTICIPÉE POUR LES ANCIENS PRISONNIERS POLITIQUES, IL NE S'EST PAS FAIT PRIER !
ON VA VOUS REGRETTER, MONSIEUR LUCIA !
MOI PAS !
LUCIA habillerie
Photo Rychter
Kodak
Papeterie
Baill
SOLD
LIQUIDATION totale !
SOLDES !
Lucia

IL A PROFITÉ DE SA RETRAITE POUR SE CONSACRER LIBREMENT AU DESSIN ET À LA PEINTURE, ET A ACQUIS LA RECONNAISSANCE QUI LUI AVAIT TOUJOURS MANQUÉ.
POURQUOI AVOIR TANT ATTENDU ? C'EST SIMPLE : J'AI FAIT 3 ANS DE CAMPS DE CONCENTRATION ET 35 ANS DE TRAVAUX FORCÉS DANS UNE BOUTIQUE. JE PEUX ENFIN FAIRE CE QUE J'AIME !
A Vanished World VISHNIAC
KKL

CHAPITRE 2

UNE FAMILLE EXEMPLAIRE

LA PREMIÈRE PRIORITÉ DE MON PÈRE FUT DE FONDER UNE GRANDE FAMILLE. COMME DANS BEAUCOUP DE FAMILLES ASHKÉNAZES APRÈS LA SHOAH, NOUS PORTIONS LES NOMS DES DISPARUS.

POUR PAPA, CHACUN DE NOUS ÉTAIT "UNE VICTOIRE SUR LES BOCHES."

MAMAN AIMAIT FAIRE LES ENFANTS, POUR PAPA. MAIS ELLE N'AIMAIT PAS S'EN OCCUPER. NOUS AVONS TOUS ÉTÉ EN PENSION. LOIN LES UNS DES AUTRES.

ON NE NOUS A JAMAIS DEMANDÉ NOTRE AVIS NI DONNÉ D'EXPLICATION. C'EST RESTÉ UNE QUESTION QUI DÉRANGE. IL PARAÎT QUE L'ÉTAT DE SANTÉ DE MAMAN NE LUI PERMETTAIT PAS DE S'OCCUPER DE NOUS. IL PARAÎT QUE LEUR SITUATION ÉCONOMIQUE ÉTAIT PLUS QUE PRÉCAIRE. PEUT-ÊTRE ! MAIS FAIRE QUATRE ENFANTS APRÈS LA SHOAH POUR LES ENVOYER EN PENSION, C'EST PAS TRÈS LOGIQUE ! N'EMPÊCHE QUE, SUR LES PHOTOS, ON ÉTAIT TOUJOURS SOURIANTS. UNE FAMILLE EXEMPLAIRE !

MAMAN ÉTAIT L'AÎNÉE DE CINQ ENFANTS. ELLE A REÇU PLUS DE MARQUES DE COUPS QUE DE MARQUES D'AMOUR DE SES PARENTS. MOI, JE LES AIMAIS BIEN AVEC TOUS LEURS DÉFAUTS. JE N'AVAIS QU'EUX COMME FAMILLE. LES SWIERCZYNSKI, TOUT COMME LES KICHKA, AVAIENT FUI L'ANTISÉMITISME POLONAIS DANS L'ENTRE-DEUX-GUERRES. SOUS L'OCCUPATION, ILS ONT COMPRIS QU'IL FALLAIT FUIR. UNE FOIS DE PLUS. C'ÉTAIENT DES GENS SIMPLES ET PEU CULTIVÉS, MAIS MALINS ET HYPER-DÉBROUILLARDS.

ILS ONT PU SE RÉFUGIER EN SUISSE JUSQU'À LA LIBÉRATION.

MAMAN NOUS A TRÈS PEU RACONTÉ SUR LA PÉRIODE OÙ ELLE ÉTAIT RÉFUGIÉE EN SUISSE. ELLE A CHOISI D'EFFACER SON HISTOIRE DERRIÈRE CELLE DE PAPA. SON HISTOIRE AVAIT UN HAPPY END PUISQU'ILS ÉTAIENT TOUS REVENUS.

אוי, איך האב נישט
קיין כוח! די קינדער
ווילן נאך א מאל
איזקרעם און מיר
האבן נישט קיין געלט!
לאמיר זיי לייגן
שלאפן, און איך
און דו וועלן ארויסגיין
אין א רעסטאראן!
ÇA M'ÉNERVE QUAND ILS SE PARLENT EN YIDDISH!
QUELLE DRÔLE DE LANGUE!
J'AIME PAS LE YIDDISH!
ON DIRAIT DU CHINOIS!
PETIT À PETIT, J'AI PRIS L'HABITUDE DE NE PAS ÉCOUTER, MÊME QUAND ILS PARLAIENT EN FRANÇAIS. QU'AVAIENT-ILS À NOUS CACHER? POURQUOI ÉTIONS-NOUS EXCLUS DU DÉBAT FAMILIAL? C'EST DANS CETTE LANGUE QU'ILS ONT DÛ SE DIRE LES CHOSES QUI NOUS AURAIENT PERMIS DE MIEUX COMPRENDRE QUI NOUS ÉTIONS. LA LANGUE NE FAIT-ELLE PAS PARTIE DU PATRIMOINE?
Spa, 1963
Knokke, 1962
BEAUCOUP DE PARENTS ONT APPRIS LE YIDDISH À LEURS ENFANTS. IL EST SI RICHE! C'EST LA LANGUE DE L'HUMOUR JUIF! QUEL GÂCHIS!! AU LYCÉE J'AI CHOISI L'ALLEMAND EN TROISIÈME LANGUE POUR ATTRAPER AU VOL QUELQUES MOTS DANS LEURS CONVERSATIONS.

BRIMÉE DANS SA PROPRE ADOLESCENCE, MAMAN N'A PAS SUPPORTÉ LE BESOIN DE LIBERTÉ DE HANNAH. LES PARENTS INTERCEPTAIENT SON COURRIER DU CŒUR ET AVAIENT LU EN CACHETTE SON JOURNAL INTIME.

IRÈNE AVAIT QUELQUES DIFFICULTÉS SCOLAIRES ET MAMAN PEU DE TACT : "MAIS TU N'AS DONC RIEN DANS LA TÊTE ! TU DEVRAIS PRENDRE EXEMPLE SUR TES FRÈRES !" NOUS, ON SE MOQUAIT D'ELLE.

CHARLY, CHÉTIF ET MALADIF ÉTAIT ENVOYÉ PAR LES MÉDECINS TANTÔT SUR LE LITTORAL BELGE, TANTÔT DANS LES HAUTES ALPES, ALORS QUE TOUT CE DONT IL AVAIT BESOIN ÉTAIT UN PEU D'AMOUR MATERNEL.

UN JOUR QUE NOUS ÉTIONS SEULS À LA MAISON, J'AI VU À QUOI RESSEMBLAIT CE "BRÛLANT À L'ESTOMAC".
LIVIDE, PAPA A TITUBÉ VERS L'ÉVIER ET A VOMI DU SANG. JE L'AI INSTALLÉ DANS LE DIVAN ET J'AI APPELÉ LE DOCTEUR BERTRAND.
ALLÔ, DOCTEUR, PAPA VIENT DE VOMIR DU SANG, PLEIN DE SANG!
MICHEL, VA VOIR DANS LE POT DE CHAMBRE SI SES SELLES SONT NOIRES!
ALLÔ, DOCTEUR, C'EST NOIR COMME DU CHARBON!
...ET ÇA SENT PAS BON!
...UNE AMBULANCE! BON, TRÈS BIEN, MERCI, DOCTEUR!
POUR ÊTRE NOIRES, ELLES ÉTAIENT NOIRES! C'ÉTAIT BEL ET BIEN UN ULCÈRE SAIGNANT.
PAPA, ON DOIT T'HOSPITALISER.
IL A VU SON PÈRE MOURIR. ÇA NE VA QUAND MÊME PAS M'ARRIVER!!

EN SUISSE, MAMAN AVAIT CONTRACTÉ LA MALADIE DE L'ORDRE. ELLE MONTAIT FAIRE DES INSPECTIONS SURPRISES DANS NOTRE ARMOIRE.

BYE!!

JE ME SENTAIS MAL À L'AISE DANS MES VÊTEMENTS DE TOUS LES JOURS. JE PRÉFÉRAIS CEUX DU DIMANCHE QUE JE NE PORTAIS PRESQUE JAMAIS PUISQUE JE PASSAIS MES DIMANCHES EN FORÊT AVEC LE MOUVEMENT DE JEUNESSE, VÊTU DE MES VÊTEMENTS POUR LE JARDIN. J'AI DONC MONTÉ TOUT UN STRATAGÈME : JE PARTAIS LE MATIN HABILLÉ EN VÊTEMENTS DE TOUS LES JOURS...

...ET, APRÈS UNE CENTAINE DE MÈTRES, JE M'ENGOUFFRAIS DANS UN RECOIN POUR ENFILER MES VÊTEMENTS DU DIMANCHE CACHÉS DANS MON CARTABLE.

COMME CLARK KENT, JE RÉAPPARAISSAIS EN SUPER-KICHKA !
MES BEAUX PANTALONS PATTES D'EPH FAISAIENT UN EFFET BOEUF. LES BILLETS DOUX CIRCULAIENT BON TRAIN.
Pilote
Salut les Copains

QUAND NOTRE AÎNÉ DAVID EST DEVENU ADOLESCENT, JE TROUVAIS QU'IL S'HABILLAIT, MAIS ALORS, N'IMPORTE COMMENT !!
DEMANDE À MAMAN DE TE FAIRE UN OURLET, DAVID !
PAPA, ÇA SE FAIT PLUS LES OURLETS AUJOURD'HUI !
LE BEAU MANTEAU, ON AVAIT DIT QUE C'ÉTAIT POUR LES GRANDES OCCASIONS !
ET UNE SORTIE AVEC MA COPINE, CE N'EN EST PAS UNE ?
RENTRE LA CHEMISE DANS LE PANTALON ET ATTACHE TES LACETS, ON DIRAIT UN SDF !
J'ME SENS BIEN COMME ÇA, PAPA !

DAVID M'A DIT QU'IL TE TROUVAIT TENDU CES DERNIERS TEMPS.
IL NE M'ÉCOUTE PAS ET, EN PLUS, IL S'HABILLE N'IMPORTE COMMENT !

LAISSE-LE S'HABILLER COMME IL VEUT. TU NE VAS PAS ENVENIMER VOTRE RELATION POUR UN LACET OU UN OURLET !
T'AS RAISON, OLIVE ! MERCI ! JE RETOURNE À MES DESSINS.

MON AMOUR DU DESSIN EST HÉRÉDITÉ ET HÉRITAGE. IL M'A ÉTÉ TRANSMIS DANS NOTRE CUISINE DE SERAING-SUR-MEUSE. COMME DÉCOR APRÈS AUSCHWITZ, ON NE POUVAIT TROUVER MIEUX. LA CUISINE ÉTAIT LE CŒUR DE LA VIE FAMILIALE.
LUCIA

PARFOIS, ELLE SERVAIT DE SALLE DE TRAVAIL POUR NOS DEVOIRS.
... JE ME TUE À TE L'EXPLIQUER ! ALORS, TU VAS ME DIRE COMBIEN IL Y A DE DEMI-LITRES DANS UN LITRE ?
... EUH... HUIT ?!
HIHIHI !
HIHIHI !
Frigidaire

DE SALON D'ESSAYAGE LES JOURS D'AFFLUENCE...
OH !! PARDON !

DE SALLE DE JEU...
QU'EST-CE QUI SE PASSE, ICI ?
RIEN. CHARLY EST MAUVAIS PERDANT !
ZUT !!

DE SALLE D'ATTENTE...
QUE SE PASSE-T-IL, CHARLY ?
J'DOIS FAIRE PIPI ET MICHEL EST AUX CHIOTTES AVEC UNE BD !

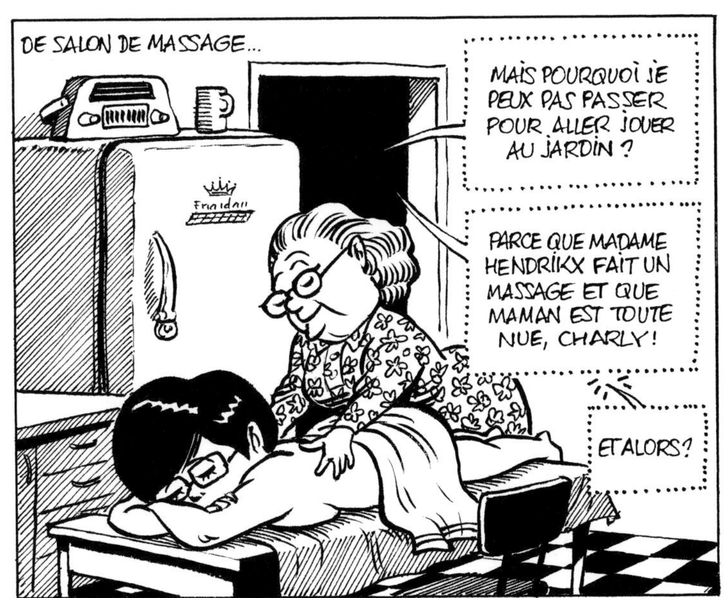
DE SALON DE MASSAGE...
MAIS POURQUOI JE PEUX PAS PASSER POUR ALLER JOUER AU JARDIN ?
PARCE QUE MADAME HENDRIKX FAIT UN MASSAGE ET QUE MAMAN EST TOUTE NUE, CHARLY !
ET ALORS ?

DE SALLE DES FÊTES...
REGARDEZ, LES ENFANTS, SAINT NICOLAS EST PASSÉ !
J'AIME PAS LA GUIMAUVE !!
Massepain
Guimauve
Chocolat
Mandarine
Bonbons
MICHEL
IRÈNE
CHARLY
ANNIE

PARENTHÈSE : ON A VÉCU PENDANT 20 ANS SANS SALLE DE BAINS. DEUX FOIS PAR SEMAINE, NOUS ALLIONS TOUS À LA PISCINE MUNICIPALE. LES DOUCHES COMMUNES ET LES SÈCHE-CHEVEUX AUTOMATIQUES, C'ÉTAIT LE GRAND LUXE. JE N'ÉTAIS PAS TRÈS BON NAGEUR, MAIS EXCELLENT SHAMPOUINEUR !

COMBIEN DE FOIS ET AVEC QUEL SAVON SE LAVAIT-IL DANS LES CAMPS ?

QUELLE ODEUR RÉGNAIT DANS LES BARAQUES ET LES LATRINES ?

LA SALETÉ, LA POUSSIÈRE, LA BOUE, LA CENDRE ET LA TRANSPIRATION...

TOUT DEVAIT LUI COLLER À LA PEAU, COMME LA MORT.

LA NOTION DE PROPRE ET DE SALE A DÛ DEVENIR TRÈS RELATIVE POUR LUI !

FIN DE PARENTHÈSE

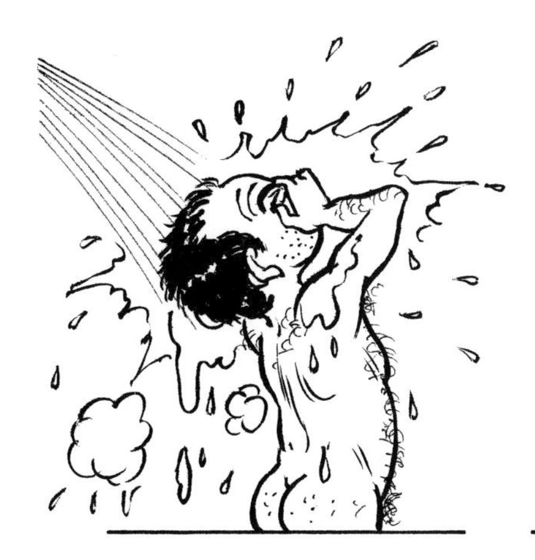

ET, POUR FINIR, LA CUISINE NOUS SERVAIT D'ATELIER DE DESSIN.

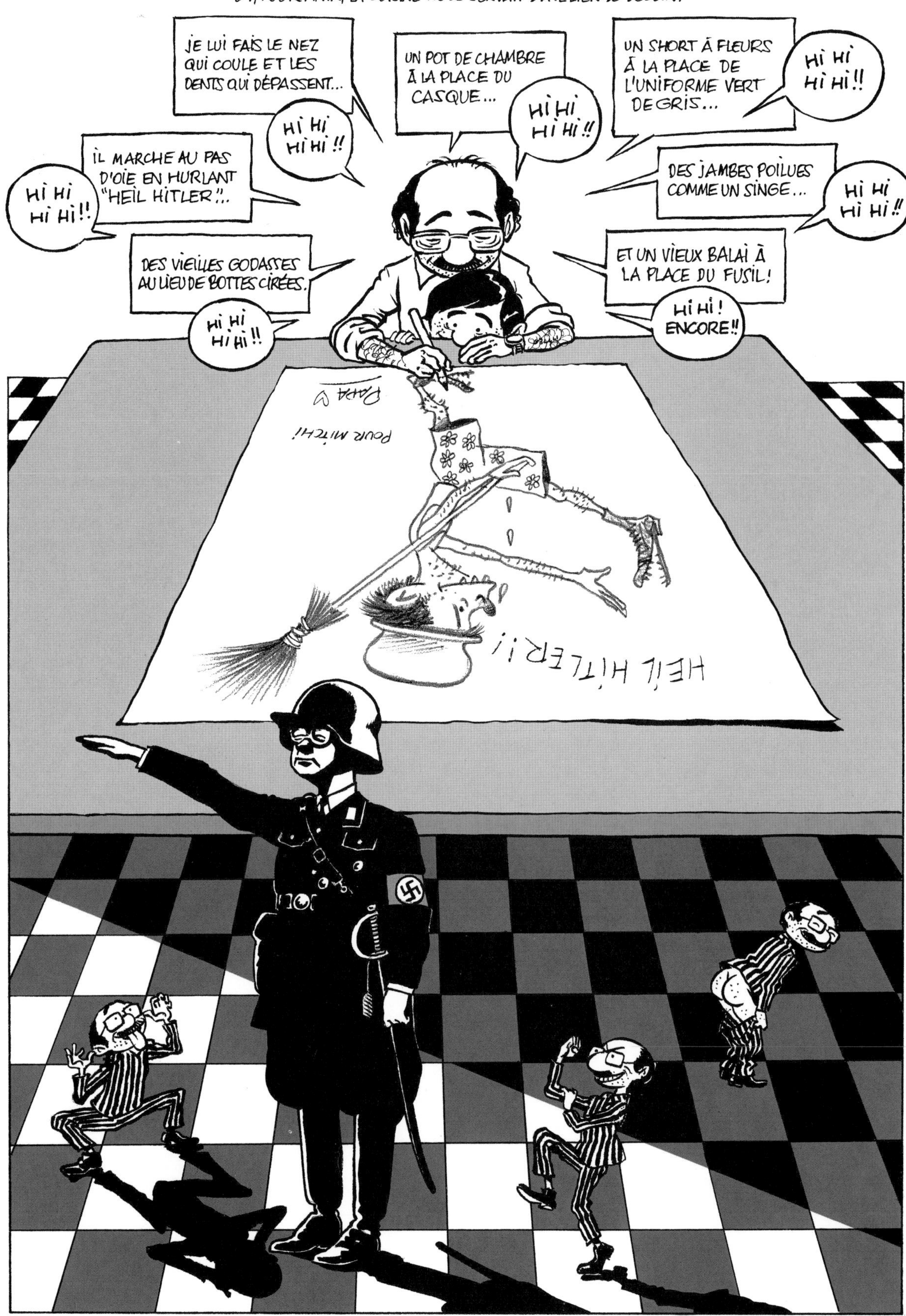

ink
Journée nationale de la Tuberculose.
chetez la rose de mai !
anche 26 mai
Gœbbels.
Göring.
Hitler.
Seraing,le I6 MAI I967.
Kichka,Michel 6LC
I23/4 ans
Dessin humoristique
copié du livre;
"LANNY BUDD'S
WERELD IN BEELD."
p.II3
APRÈS LA LIBÉRATION, AU SANATORIUM, MON PÈRE S'EST REMIS À DESSINER COMME AVANT LA GUERRE. IL AVAIT PERDU SA FAMILLE, MAIS N'AVAIT PAS PERDU LA MAIN. CERTAINS DESSINS FURENT RÉALISÉS AU DOS D'UNE PUBLICITÉ POUR LA PRÉVENTION DE LA TUBERCULOSE, DONT IL SOUFFRAIT EN SORTANT DE BUCHENWALD. À 12 ANS, JE RECOPIAIS À MON TOUR DES HITLER, DES GÖRING ET DES GOEBBELS, TROUVÉS DANS SES NOMBREUX LIVRES. QUAND JE LES LUI MONTRAIS, IL REMONTAIT SES LUNETTES SUR LE FRONT ET IL LES OBSERVAIT DE PRÈS EN SOURIANT. JE NE ME RENDAIS PAS COMPTE QUE J'ÉTAIS EN TRAIN D'APPRENDRE CE QUI DEVIENDRAIT MON MÉTIER.

AU COLLÈGE, J'ADORAIS LE COURS DE DESSIN DE MONSIEUR EVRARD.
KICHKA, VIENS ME VOIR À LA FIN DU COURS.

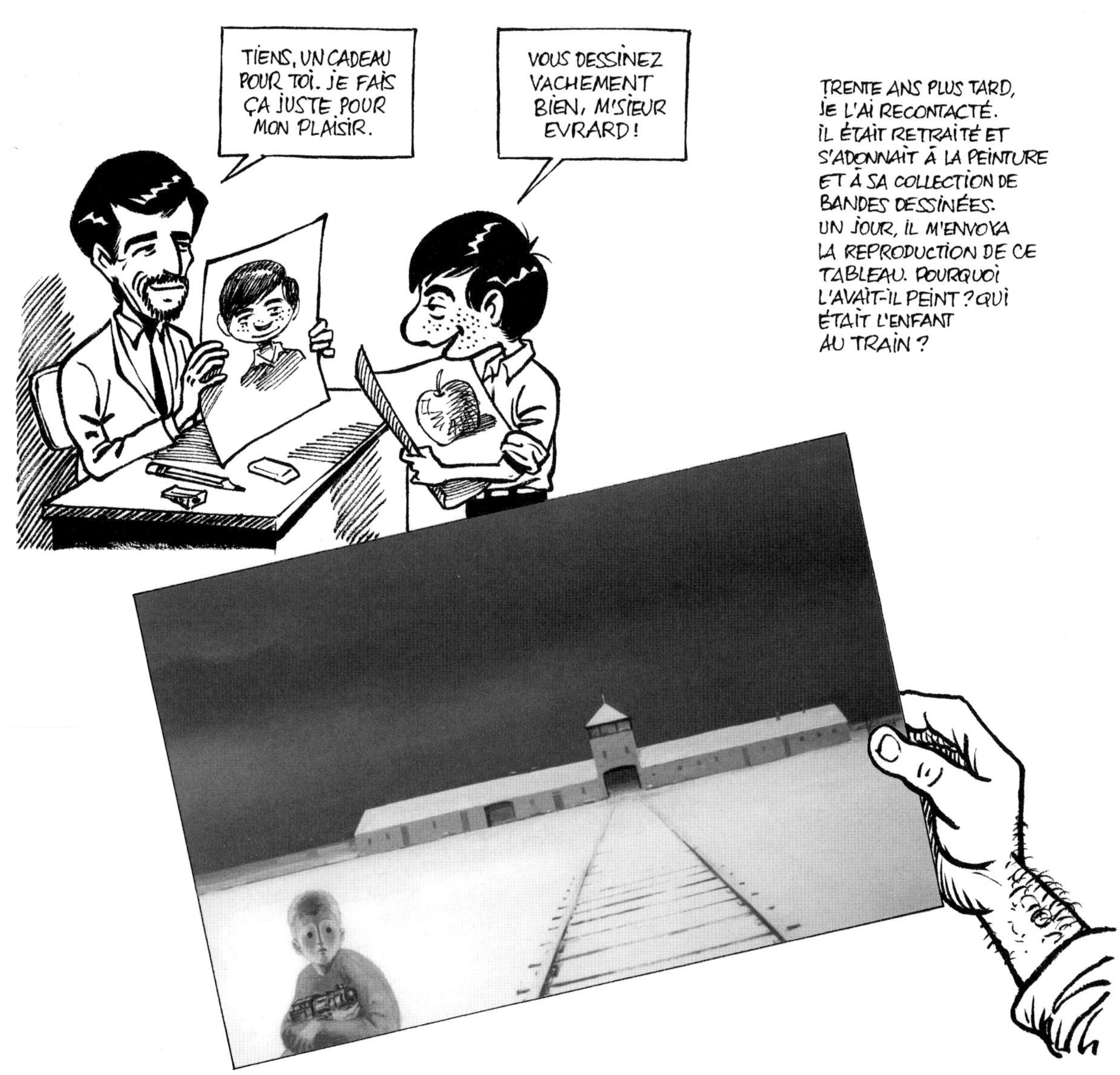
TIENS, UN CADEAU POUR TOI. JE FAIS ÇA JUSTE POUR MON PLAISIR.
VOUS DESSINEZ VACHEMENT BIEN, M'SIEUR EVRARD !
TRENTE ANS PLUS TARD, JE L'AI RECONTACTÉ. IL ÉTAIT RETRAITÉ ET S'ADONNAIT À LA PEINTURE ET À SA COLLECTION DE BANDES DESSINÉES. UN JOUR, IL M'ENVOYA LA REPRODUCTION DE CE TABLEAU. POURQUOI L'AVAIT-IL PEINT ? QUI ÉTAIT L'ENFANT AU TRAIN ?

LA RÉPONSE NE TARDA PAS À ARRIVER : LA PHOTOCOPIE D'UNE LETTRE DE RECONNAISSANCE RÉDIGÉE PAR UNE FAMILLE JUIVE DE LIÈGE EN 1945, CERTIFIANT QUE LES PARENTS DE DANY EVRARD LEUR AVAIENT FOURNI, AU PÉRIL DE LEUR VIE, LOGEMENT, RAVITAILLEMENT ET FAUX PAPIERS.

MON PROF DANY EVRARD, NÉ PENDANT LA GUERRE, ÉTAIT EN FAIT FILS DE "JUSTES PARMI LES NATIONS", MÊME SI LE TITRE NE LEUR A PAS ÉTÉ OCTROYÉ OFFICIELLEMENT. LE TALMUD DIT QUE "QUI SAUVE UN HOMME SAUVE L'HUMANITÉ ENTIÈRE" ! CE DESTIN NOUS A LIÉS BIEN AU-DELÀ DU DESSIN. A-T-IL MIS UN PEU DE LUI-MÊME DANS CE GARÇON AU TRAIN ?

JE LUI AI ENVOYÉ DEUX PAGES DE MON LIVRE EN PRÉPARATION. ENTHOUSIASTE, IL M'A RÉPONDU : "À SUIVRE !" TROIS MOIS PLUS TARD, SON FILS M'ANNONÇAIT SON DÉCÈS.

NOUS N'ÉTIONS PAS TRÈS PRATIQUANTS ET N'ALLIONS À LA SYNAGOGUE DE LIÈGE QUE TRÈS RAREMENT.
J'AI FAIT UN TABAC AVEC LA MINIJUPE LA SAISON DERNIÈRE. ET TOI, SIMON?
MOI, J'AI FAIT UN MALHEUR AVEC LES COLS "MAO"!
MITCHI, METS TA KIPPA!
ON SE FAIT UNE PETITE BELOTE APRÈS!
YO!

MON PÈRE NE S'Y SENTAIT PAS DANS SON ÉLÉMENT, IL NE LISAIT PAS L'HÉBREU ET N'AVAIT JAMAIS APPRIS LES PRIÈRES. IL NE CROYAIT PAS EN DIEU.

GOSSES, ON S'AMUSAIT À JOUER À CACHE-CACHE ENTRE LA GRANDE SALLE DU BAS ET L'ÉTAGE DES FEMMES.
ALLEZ JOUER DEHORS, LES ENFANTS! MAINTENANT, C'EST LA PRIÈRE DES MORTS!

POURQUOI ON N'A PAS LE DROIT D'Y ASSISTER, À LA PRIÈRE DES MORTS?
J'AI ENTENDU DIRE QUE LES ADULTES PLEURENT.
DOMMAGE! MOI AUSSI, J'AIME PLEURER.

RÉCEMMENT, EN FAISANT UN PETIT CALCUL, J'AI RÉALISÉ QU'IL AVAIT 13 ANS EN 1939, AVANT LA GUERRE. ALORS, JE LUI AI DEMANDÉ POUR QUELLE RAISON IL N'AVAIT PAS FAIT SA BAR-MITSVAH. IL A HÉSITÉ PUIS M'A DIT : "MON PÈRE ÉTAIT SOCIALISTE MILITANT ET LAÏC. IL N'ALLAIT JAMAIS À LA SYNAGOGUE." IL M'AURA FALLU 50 ANS POUR L'APPRENDRE.

JE N'AI JAMAIS VU PAPA PLEURER. JE N'AI D'AILLEURS JAMAIS VU SES YEUX, SI PETITS AU FOND DE SES VERRES ÉPAIS DE MYOPE. SI PETITS QUE JE SERAIS INCAPABLE D'EN DIRE LA COULEUR. À CROIRE QU'ILS ONT DISPARU QUELQUE PART ENTRE 1942 ET 1945. OU QU'ILS SE SONT TOUT SIMPLEMENT ÉTEINTS.

IL A DÛ PLEURER TOUTES LES LARMES DE SON CORPS DANS LES CAMPS. IL A DÛ PLEURER SA MÈRE, SON PÈRE ET SES SOEURS. LA SOURCE DE SES LARMES S'EST TARIE À JAMAIS. C'EST POUR CELA QUE SON MÉDECIN LUI A PRESCRIT DES GOUTTES POUR LES YEUX.

EST-CE POUR ÇA QU'À L'ÂGE DE 70 ANS, QUAND IL A COMMENCÉ À ACCOMPAGNER DES GROUPES À AUSCHWITZ, IL A TENU À LES FAIRE PLEURER PAR SES TÉMOIGNAGES ?
HALT
ARBEIT MACHT FREI

DEPUIS, IL FAIT BRUXELLES-AUSCHWITZ-BRUXELLES TROIS FOIS PAR AN.
ALORS, PAPA, C'ÉTAIT BIEN TON VOYAGE À AUSCHWITZ?
EXTRAORDINAIRE ! JE LES AI BEAUCOUP FAIT PLEURER !

QUAND J'ÉTAIS PETIT, IL M'A SOUVENT RÉPÉTÉ :
DANS LES CAMPS, LES RELIGIEUX QUI IMPLORAIENT DIEU M'ÉNERVAIENT CAR, SI DIEU AVAIT EXISTÉ...
Gallimard
La BÊTE EST MORTE!
CALVO

...LES CAMPS N'AURAIENT JAMAIS EXISTÉ !!

À LA MAISON, NOUS VIVIONS UN PEU EN MARGE DU MONDE, À L'ÉCART DE LA RÉALITÉ, ISOLÉS. POUR PAPA, LA RÉALITÉ ÉTAIT TROP DURE À AFFRONTER. NOUS N'AVIONS NI TÉLÉ, NI JOURNAUX, NI MAGAZINES. LE MONDE ÉTAIT GROSSIÈREMENT DIVISÉ EN DEUX : LES JUIFS ET LES GOYS. NOUS AVIONS PEU D'AMIS ET PEU DE VISITES.

CHRISTIAN ÉTAIT LIBRAIRE. PAPA ET LUI POUVAIENT PASSER DES HEURES À DISCUTER LITTÉRATURE.

MAMAN AUSSI AVAIT DES IDÉES ARRÊTÉES SUR LA QUESTION.

ET SI J'AI UNE AMIE JUIVE DONT JE NE SUIS PAS AMOUREUX ET UNE NON-JUIVE DONT JE SUIS AMOUREUX, JE FAIS QUOI AU JUSTE ? J'ÉPOUSE L'UNE ET JE COUCHE AVEC L'AUTRE ?

EN TERMINALE, TOUT S'EST COMPLIQUÉ. J'ÉTAIS AMOUREUX D'UNE JUIVE ET D'UNE NON-JUIVE. AVEC LA PREMIÈRE, C'ÉTAIT PLATONIQUE ET ROMANTIQUE, MAIS NOS PARENTS SE CONNAISSAIENT. C'ÉTAIT GÊNANT !
Gaufres
BOOM!
Caisse
AVEC LA SECONDE, ON SE VOYAIT TOUS LES JOURS EN CLASSE ET AUSSI EN DEHORS DES COURS...
A
B
C
PAR EXEMPLE CHEZ UN DE MES ONCLES, UN ARTISTE À L'ESPRIT OUVERT...
ET QUI SE GARDAIT BIEN DE LE RACONTER À SA GRANDE SOEUR (MA MÈRE !).
J'AI DIT À MES PARENTS QUE J'ASSISTAIS À UN DÉBAT SUR LA VIE AU KIBBOUTZ !
MON PETIT JUIF ADORÉ !
À LA LONGUE, J'ÉTAIS DEVENU TRÈS AMOUREUX. IL FALLAIT DONC QUE JE METTE FIN À NOTRE RELATION. JE NE POUVAIS PAS DÉCEMMENT LUI DIRE QUE C'ÉTAIT PARCE QU'ELLE N'ÉTAIT PAS JUIVE.
TU COMPRENDS, TU PARS ÉTUDIER À BRUXELLES ET MOI, JE RESTE À LIÈGE... TU COMPRENDS... ?
JE LA RENDAIS MALHEUREUSE, JE N'ALLAIS PAS RISQUER EN PLUS DE LA RENDRE ANTISÉMITE !
PUTAIN, C'EST DUR D'ÊTRE JUIF !!

CE QUI ME RENDIT VRAIMENT HEUREUX FUT LE PRIX SPÉCIAL QUE ME REMIT LE DIRECTEUR POUR LE JOURNAL QUE J'AVAIS FONDÉ AU LYCÉE.

J'AI CONTINUÉ EN ARCHITECTURE. MAIS MON CŒUR ÉTAIT AILLEURS !

À CE MOMENT-LÀ, JE DÉCIDAI D'ALLER FAIRE MA VIE À JÉRUSALEM. LES QUATRE PREMIÈRES ANNÉES FURENT D'UNE INTENSITÉ RARE : J'AI CONNU OLIVIA, NOUS AVONS EU DAVID ET J'AI OBTENU MON DIPLÔME EN ARTS GRAPHIQUES.

BIEN SÛR, J'ÉTAIS CONTENT DE CE PRIX QUI COURONNAIT QUATRE ANNÉES DE TRAVAIL ET DE CRÉATION. MAIS L'AVAIS-JE OBTENU POUR MOI-MÊME, CETTE FOIS, OU BIEN POUR LUI ? DIFFICILE À DIRE. EN TANT QUE "FILS DE", NE SUIS-JE PAS VOUÉ À TOUJOURS LE SATISFAIRE EN COMPENSATION DE CE QU'IL A VÉCU ? SE LIBÈRE-T-ON JAMAIS DU TRAUMATISME DES PARENTS ? JUSQU'À QUEL ÂGE RESTE-T-ON LEUR "ENFANT" AVEC TOUT CE QUE CELA SOUS-ENTEND ? JE LUI AI ENVOYÉ UNE PHOTOCOPIE DU DIPLÔME, BIEN QU'À MES YEUX IL REVENAIT À OLIVIA ET À DAVID POUR M'AVOIR SOUTENU, INSPIRÉ ET MOTIVÉ.

CHAPITRE 3

CHARLY

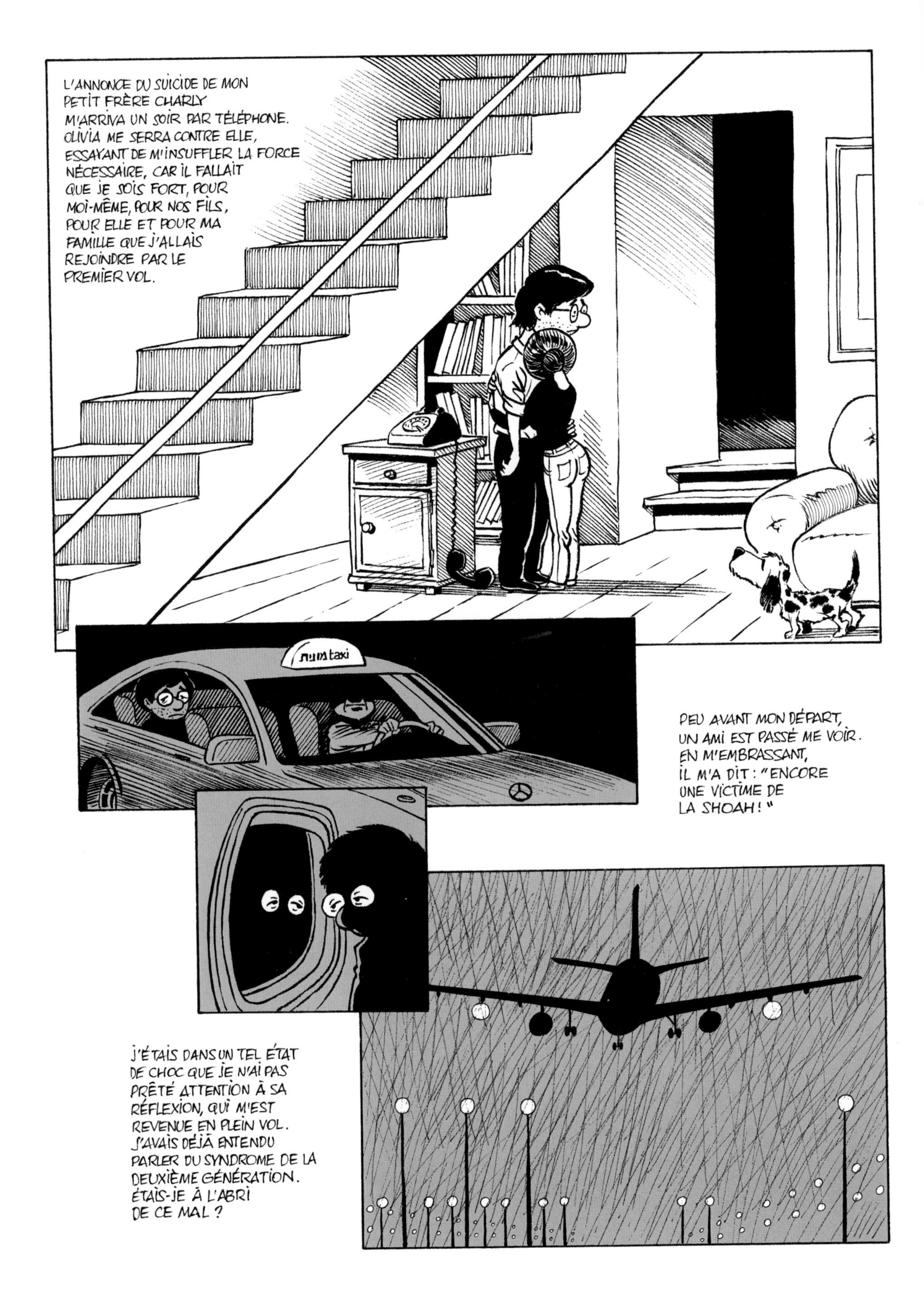
L'ANNONCE DU SUICIDE DE MON PETIT FRÈRE CHARLY M'ARRIVA UN SOIR PAR TÉLÉPHONE. OLIVIA ME SERRA CONTRE ELLE, ESSAYANT DE M'INSUFFLER LA FORCE NÉCESSAIRE, CAR IL FALLAIT QUE JE SOIS FORT, POUR MOI-MÊME, POUR NOS FILS, POUR ELLE ET POUR MA FAMILLE QUE J'ALLAIS REJOINDRE PAR LE PREMIER VOL.
taxi
PEU AVANT MON DÉPART, UN AMI EST PASSÉ ME VOIR. EN M'EMBRASSANT, IL M'A DIT : "ENCORE UNE VICTIME DE LA SHOAH !"
J'ÉTAIS DANS UN TEL ÉTAT DE CHOC QUE JE N'AI PAS PRÊTÉ ATTENTION À SA RÉFLEXION, QUI M'EST REVENUE EN PLEIN VOL. J'AVAIS DÉJÀ ENTENDU PARLER DU SYNDROME DE LA DEUXIÈME GÉNÉRATION. ÉTAIS-JE À L'ABRI DE CE MAL ?

MAMAN DRESSE LA LISTE DE CEUX QUI SONT VENUS COMME S'IL S'AGISSAIT D'UNE LISTE DE MARIAGE.

LES WEINSTOCK NE SONT PAS VENUS !

IRÈNE EST EFFONDRÉE ! SON MARI S'EST SUICIDÉ IL Y A TROIS MOIS SANS MÊME LUI LAISSER UNE LETTRE.

LES KORNFELD NON PLUS !

HANNAH ET MOI, NOUS NOUS SOUTENONS MUTUELLEMENT POUR ÊTRE FORTS. ON CRAINT LE PIRE POUR PAPA.

LES GOURNICHT NON PLUS !

LES AMIS PRENNENT UN DERNIER CAFÉ QUAND SOUDAIN PAPA PREND LA PAROLE.

LES GLIKSMAN NON PLUS !

LE 3 SEPTEMBRE 1942, LA GESTAPO NOUS A ARRÊTÉS...

ET ÌL PARLE PARLE PARLE PARLE PARLE PARLE PARLE PARLE PARLE PARLE PARLE PARLE PARLE PARLE PARLE PARLE PARLE P
Juif
MALINES
Mechelen
DOSSIN
CONVOI N° 9
DATE 12/09/42
JUIFS 1000
LES KATZ NON PLUS !
NOM: Kichka
Prénom: Henri
N°: 604
Malines
ZYKLON

JE RÉALISE QUE, POUR LA PREMIÈRE FOIS, IL RACONTE SON CALVAIRE PENDANT LA SHOAH. JE PENSAIS QU'ON S'ÉTAIT RÉUNIS POUR PARLER DE CHARLY. J'AVAIS BESOIN DE FAIRE SON DEUIL.
PAPA PARLE DE LUI-MÊME ET JE SUIS INCAPABLE D'ÉCOUTER. ALORS QUE JE DEVRAIS ÊTRE CONTENT QU'IL PARLE ENFIN. QUEL TIMING MERDIQUE! AU LIEU DE ME JOINDRE AU CERCLE DES AMIS, JE ME TIENS À L'ÉCART.

LA SHIVA SERT À "FAIRE LE DEUIL", À EXPRIMER SA DOULEUR, À ÉVOQUER LES SOUVENIRS. LES BONS ET LES MAUVAIS, À PARLER DU DÉFUNT, À LUI RENDRE UN DERNIER HOMMAGE, EN FAMILLE, ET ENTOURÉ D'AMIS. POUR MOI, C'ÉTAIT COMPLÈTEMENT RATÉ.
DES ANNÉES PLUS TARD, J'AI ESSAYÉ DE COMPRENDRE POURQUOI IL AVAIT CHOISI CE MOMENT POUR PARLER.
LA VÉRITÉ EST QUE C'EST LUI QUI A DÉCOUVERT CHARLY MORT SUR SON LIT. JE PENSE QUE ÇA A FAIT RESURGIR D'UN SEUL COUP TOUTES LES IMAGES DES MORTS QU'IL ÉTAIT PARVENU À REFOULER TANT BIEN QUE MAL.
LES DEUX TRAUMATISMES ONT DÛ SE TÉLESCOPER.

IL S'ÉTAIT MÊME JETÉ SUR UN TAS DE MORTS LE 11 AVRIL 1945, JOUR DE LA LIBÉRATION DE BUCHENWALD, POUR ÉCHAPPER À UN NAZI ZÉLÉ QUI TIRAIT SUR TOUT CE QUI BOUGEAIT.
JE SUIS SÛR QUE TOUS CES MORTS ONT HANTÉ SES NUITS.
IL LES A BALAYÉS SOUS UN TAPIS DE SILENCE. AVEC LA DISPARITION DE CHARLY, ILS RÉAPPARAISSAIENT.

MALGRÉ LEURS TRENTE ANNÉES DE DIFFÉRENCE, CHARLY ET LUI SE RESSEMBLAIENT COMME DEUX GOUTTES D'EAU : LA CALVITIE PARTIELLE, LA MOUSTACHE, LES LUNETTES, LE GESTE LENT.
SANS PARLER DU CARACTÈRE.
SUR LES PHOTOS DE LA BRIT DU FILS DE CHARLY, ON LES CROIRAIT JUMEAUX.

* EXTRAIT DE "UNE ADOLESCENCE PERDUE DANS LA NUIT DES CAMPS", HENRI KICHKA (ÉD. LUC PIRE).

PENDANT TOUT L'APRÈS-MIDI, J'AI PARLÉ DE LUI, DE CHARLY, DE NOTRE VIE DE FAMILLE. L'ONCLE ÉCOUTAIT ATTENTIVEMENT. IL SAVAIT QUE J'AVAIS BESOIN DE PARLER. HANNAH PARLAIT PEU. EN SOIRÉE, NOUS AVONS REPRIS LA ROUTE DE BRUXELLES, LÉGÈREMENT SOULAGÉS.

JE NE ME SOUVIENS PLUS DE CE QUE NOUS AVONS INVENTÉ POUR JUSTIFIER NOTRE VOYAGE À PARIS. ON N'ALLAIT TOUT DE MÊME PAS DIRE : "ON A PEUR QUE PAPA SE SUICIDE, ALORS ON EST ALLÉS DEMANDER CONSEIL À UN PSY !"

TOUT LE VOLUME DE LA PIÈCE EST OCCUPÉ PAR LE RÉCIT DE PAPA. IL N'Y A PLUS DE PLACE POUR CHARLY. À PEINE DISPARU, ON NE VA TOUT DE MÊME PAS COMMENCER À L'OUBLIER ! AUJOURD'HUI, JE PEUX COMPRENDRE QUE LE FAMEUX MÉCANISME DE REFOULEMENT AUTOMATIQUE S'EST MIS EN MARCHE. EXACTEMENT COMME APRÈS LA SHOAH.
PAUVRE CHARLY ! S'IL S'ÉTAIT CONFIÉ À MOI, J'AURAIS PEUT-ÊTRE PU L'AIDER !!
MAIS MOI, JE N'AI PAS CONNU LA SHOAH. LE SUICIDE DE CHARLY EST LA PREMIÈRE FOIS QUE JE SUIS TOUCHÉ DE SI PRÈS PAR LA MORT.
JE N'AI PAS LE DROIT D'EN VOULOIR À PAPA. TOUT ÇA, C'EST LA FAUTE À HITLER !
Bière
PUTAIN, ADOLF, TU FAIS CHIER !
CAFÉ
Chocolat
BD neuf & okaze
Mode
Frites
GAUFRES
au bon Coin
33 BREL

DE RETOUR À JÉRUSALEM, JE RETROUVE L'AMOUR DES MIENS.
UNE LETTRE DE CHARLY EST-ELLE ARRIVÉE EN MON ABSENCE ?
NON, RIEN !
P'PA !
PAPA !
PAPA !

art spiegelman
MAUS
SPRAY
JE RETROUVE MA TABLE À DESSIN, MA PLANCHE DE SALUT. MAIS LES CRAYONS ET LES PINCEAUX REFUSENT DE GLISSER SUR LE PAPIER. MES "PETITS MICKEYS" NE SOURIENT PLUS COMME AVANT. LE CŒUR N'Y EST PLUS. QUELQUE CHOSE AU FOND DE MOI S'EST ÉTEINT. JE DESSINE MÉCANIQUEMENT.

JE DORS PEU. JE DORS MAL. UNE QUESTION M'OBSÈDE : POURQUOI CHARLY NE M'A-T-IL PAS ÉCRIT ?
DORS, CHÉRI, IL EST TARD !

PARTI SANS ME DIRE ADIEU, CE N'EST PAS NORMAL !
ON S'ÉTAIT UN PEU ÉLOIGNÉS CES DERNIÈRES ANNÉES. ET ALORS ? ÇA ARRIVE, NON ?
Shavin
LUI DANS SA BANLIEUE LYONNAISE, ET MOI À JÉRUSALEM, LES ENFANTS, LE BOULOT... OK, MAIS N'EMPÊCHE. JUSTE UN PETIT MOT DE LUI. J'EN DEMANDE PAS TROP !
בצלאל
BEZALEL
Academy of Arts & Design
ENFANTS ET ADOS, NOUS ÉTIONS SOUDÉS L'UN À L'AUTRE !
PAPA, TU PASSES AU ROUGE !

PRIORITAIRE
PAR AVION
POSTE FRANÇAISE
22.10
1988
JOUR APRÈS JOUR,
PENDANT UN LONG MOIS, LA QUESTION
M'A TARAUDÉ. PARTIR SANS ME
DIRE ADIEU. QUELQUE CHOSE CLOCHAIT !
UN BEAU MATIN, À TRAVERS LES FENTES
DE LA BOÎTE AUX LETTRES, J'AI RECONNU
SON ÉCRITURE, MÊME À L'ENVERS.
UNE ÉCRITURE UN PEU HIRSUTE, COMME SES
CHEVEUX, ET UN PEU REBELLE, COMME LUI.
LE CACHET DE LA POSTE CORRESPONDAIT
À LA DATE DE SON SUICIDE.
LA LETTRE AVAIT TARDÉ À ARRIVER À CAUSE
DES GRÈVES EN FRANCE.
LA RECEVOIR UN MOIS APRÈS LA DISPARITION
DE CHARLY M'A LITTÉRALEMENT
SCIÉ LES JAMBES. JE ME SUIS LAISSÉ
TOMBER SUR LE DIVAN, SERRANT
L'ENVELOPPE CONTRE MOI, DANS UNE
CONFUSION DE TRISTESSE ET DE JOIE.
C'EST DUR À EXPLIQUER, MAIS
J'ÉTAIS HEUREUX, SOULAGÉ.
PAPA, ÇA VA ?
CHARLY M'A ÉCRIT !

(A) LIT DE CHARLY. (B) MON LIT.
(1) POT DE CHAMBRE ET PQ. LES CHIOTTES ÉTAIENT DEHORS, IL FALLAIT DESCENDRE DEUX ÉTAGES ET SORTIR PAR LA COUR SI ON AVAIT UN BESOIN URGENT LA NUIT, COMME AU STALAG! ON A APPRIS À SE RETENIR.
(2) TROU DANS LE PLANCHER OÙ NOUS PISSIONS LA NUIT JUSQU'AU JOUR OÙ UNE ÉNORME POCHE D'URINE EST APPARUE AU PLAFOND DE LA CHAMBRE DES SOEURS.
(3) DOUILLE D'OBUS QU'ANNIE AVAIT RAMENÉE D'ISRAËL APRÈS LA GUERRE DES SIX-JOURS. ELLE NOUS SERVAIT D'URINOIR QU'ON VIDAIT PAR LA LUCARNE. (MERCI, TSAHAL!)
(4) LA LUCARNE DONNAIT SUR LES HAUTS-FOURNEAUX DE COCKERILL-OUGRÉE.
(5) TIROIR OÙ JE RANGEAIS UN "PLAYBOY" "FAUCHÉ" À PAPA ET DONT CHARLY M'AVAIT ARRACHÉ LA PAGE DU MILIEU. AU MOINS, ÇA RESTAIT EN FAMILLE.
(6) LAMPE DE POCHE POUR LIRE DES BD SOUS LA COUVERTURE APRÈS LE COUVRE-FEU.
(7) GASTON LAGAFFE, L'ANTIHÉROS DE MON ENFANCE.
(8) MODÈLE RÉDUIT CONSTRUIT ET PEINT PAR CHARLY.
(9) PUPITRE OÙ NOUS FAISIONS NOS DEVOIRS EN ALTERNANCE, UNE FOIS MOI ET UNE FOIS LUI.
(10) ARMOIRE À VÊTEMENTS, INSPECTÉE RÉGULIÈREMENT PAR MAMAN, QUI PIQUAIT DES CRISES CAR, À SON GRAND DAM, NOUS ÉTIONS BORDÉLIQUES, CE QUI NOUS VALAIT PARFOIS D'ÊTRE PRIVÉS DE DESSERT. LES PORTES ÉTAIENT CRIBLÉES DE TROUS DE FLÉCHETTES, QUE NOUS CAMOUFLIONS AVEC DES DESSINS AVANT LA VISITE DE MAMAN.
(11) RÉVEIL QUE CHARLY N'ENTENDAIT JAMAIS LE MATIN. JE LE RÉVEILLAIS D'UN PET DANS LA FIGURE POUR QU'IL APPRENNE.
(C) LITS SUPERPOSÉS D'ANNIE ET IRÈNE.

SUR TROIS PAGES, IL A TENTÉ DE M'EXPLIQUER SON GESTE, SON SENTIMENT D'AVOIR TOUT RATÉ, DE NE PAS AVOIR FAIT LES BONS CHOIX AUX CARREFOURS IMPORTANTS DE SA VIE. IL ÉTAIT SÛR QU'IL PRENAIT ENFIN LA BONNE DÉCISION.
PAPA, JE METS LA TABLE EN ATTENDANT ?
EUH... OUI... OUI... JE... J'ARRIVE !
MŒBIUS
IL M'A DIT SON AMOUR POUR SES ENFANTS, SON INCAPACITÉ À LES GUIDER DANS LA VIE, SA DOULEUR DE LES QUITTER, PUIS, VERS LA FIN, UNE PETITE PHRASE, PRESQUE ANODINE :
" L'EXEMPLE DE VIE DE PAPA ET MAMAN N'AURA PAS ÉTÉ SUFFISANT."
LUI QUI AVAIT REFUSÉ DE FAIRE SON SERVICE MILITAIRE, CAR IL SE DISAIT PACIFISTE ET NE VOULAIT PAS PORTER D'ARME, AVAIT CHOISI LA VOIE EXPÉDITIVE POUR SA PROPRE "SOLUTION FINALE".

ÇA FAIT UN MOIS QUE TOUTE LA FAMILLE SE DEMANDE "POURQUOI" ET IL ME DONNE UN ÉLÉMENT DE RÉPONSE.
SA LETTRE N'EST ADRESSÉE QU'À MOI. DOIS-JE LA MONTRER À LA FAMILLE ?
ALLÔ, OLIVIA, JE VIENS DE RECEVOIR UNE LETTRE DE CHARLY !! OUI... LES GRÈVES. QUE ME CONSEILLES-TU DE FAIRE ?
TU VOIS QU'IL NE T'A PAS OUBLIÉ ! MAIS TOI SEUL PEUX DÉCIDER !
PAPA, TU VIENS, J'AI ÉGOUTTÉ LES PÂTES !
PAPA ET MAMAN SOUFFRENT DE NE PAS AVOIR DE RÉPONSE, MAIS SI JE LEUR DONNE CELLE-CI, NE VONT-ILS PAS SOUFFRIR ENCORE PLUS ?
SI CHARLY A DÉCIDÉ DE NE PAS LE LEUR DIRE, CE N'EST PAS À MOI DE LE FAIRE. IL S'EST EN QUELQUE SORTE CONFESSÉ À MOI !
SOUFFRIR POUR SOUFFRIR, ON A GRANDI DANS LE NON-DIT, ET ÇA CONTINUE... DE PÈRE EN FILS !
PAPAAAA !! LES PÂTES REFROIDISSENT, ELLES VONT COLLER !!

J'AI RANGÉ LA LETTRE ENTRE MES SLIPS ET MES CHAUSSETTES. CHAQUE MATIN, JE LA VOYAIS; CHAQUE JOUR, JE LA LISAIS. EN CACHETTE. JE ME FAISAIS MAL, MAIS C'ÉTAIT PLUS FORT QUE MOI. JE NE VOULAIS PAS QU'OLIVIA LE SACHE ET QU'ELLE S'EN INQUIÈTE. EXTÉRIEUREMENT, J'AFFICHAIS "BUSINESS AS USUAL". J'ÉTAIS PRESQUE PARVENU À M'EN CONVAINCRE! MAIS ÇA N'ALLAIT PAS DU TOUT. JE SENTAIS QU'UNE PARTIE DE MOI ÉTAIT MORTE AVEC LUI.
PAUVRE CHARLY! PAUVRE CHARLY!
UN BEAU MATIN...
'JOUR!
BEN DIS DONC, C'EST PAS LA SUPER-FORME!
OULALA! TU DEVRAIS VOIR TA TÊTE!
QU'EST-CE QUI NE VA PAS?
J'SAIS PAAAAAAAAS!!!
J'SAIS PAAAAAAAAAAAAAAAS!!
PLEURE... PLEURE...
C'EST BIEN!

Adagio sostenuto
Bazooka
TM
BUBBLE GUM
EN 1966, IL A EU LA TROUILLE DE REGARDER LES CHAMPS-ÉLYSÉES DU HAUT DE L'ARC DE TRIOMPHE.
Pilote
LE JOURNAL D'ASTERIX ET OBELIX
GIR
PINCEAU DE SA FABRICATION POUR PEINDRE LA PUPILLE DE SES PETITS SOLDATS DE PLOMB : UN POIL DE PUBIS FIXÉ À UNE ALLUMETTE.

CHAPITRE 4

SEUL AU MONDE

SEUL SURVIVANT DE SA FAMILLE. C'EST CE QUE PAPA ÉTAIT ET DISAIT.
JE N'AI JAMAIS SONGÉ À LUI DEMANDER S'IL Y AVAIT D'AUTRES KICHKA. JE N'OSAIS PAS POSER DE QUESTIONS. JE SENTAIS QUE C'ÉTAIT UN SUJET TELLEMENT DOULOUREUX QU'IL VALAIT MIEUX NE PAS L'ABORDER.
À VRAI DIRE, LA FORMULE N'ÉTAIT PAS POUR ME DÉPLAIRE.
"SEUL AU MONDE" SONNAIT COMME "SEUL CONTRE TOUS", COMME CES WESTERNS DE SÉRIE B OÙ LE BON FINIT TOUJOURS PAR GAGNER.

INSTALLÉ À JÉRUSALEM, DÈS QUE NOUS AVONS EU NOTRE LIGNE TÉLÉPHONIQUE, J'AI CHERCHÉ KICHKA DANS LE BOTTIN, PLUS PAR JEU QUE PAR CURIOSITÉ.

IL Y EN AVAIT UN. UN MONSIEUR ÂGÉ QUI NE PARLAIT QUE YIDDISH ET POLONAIS. MAIS JE SUIS PARVENU À LUI FAIRE COMPRENDRE QUE MON PÈRE LE CONTACTERAIT BIENTÔT.

YO.....YO......NEIN...........YO.........
.....NEIN..................YO..YO...........
YO.........NEIN.....NEIN..............NEIN...
........YO.......YO..........NEIN........YOYO....

PLUS TARD, ILS EURENT UNE LONGUE CONVERSATION EN YIDDISH. MON PÈRE M'AFFIRMA N'AVOIR TROUVÉ ABSOLUMENT AUCUN LIEN DE PARENTÉ. ILS N'ONT MÊME PAS ÉPROUVÉ LE BESOIN DE SE RENCONTRER POUR FAIRE CONNAISSANCE. AFFAIRE CLASSÉE !

QUELQUE CINQ ANS PLUS TARD, PAPA M'ENVOIE UN AVIS DE DÉCÈS DE LA RUBRIQUE NÉCROLOGIQUE DU JOURNAL DE CHARLEROI. L'AVIS EST À MON NOM !
...O...OL...OLIVIA VIENS VOIR !!
Michel KICHKA
Charleroi
R.I.P.

JE SUIS SIDÉRÉ : DANS SA LETTRE, IL M'EXPLIQUE QUE MICHEL ÉTAIT SON ONCLE. JE NE SAIS PLUS QUOI PENSER. ON EST SEULS AU MONDE, OUI OU NON ?
ÇA, POUR UNE SURPRISE, C'EST UNE SURPRISE ! MAIS POURQUOI NE ME L'AS-TU JAMAIS DIT AVANT ?... BON... J'ÉCOUTE !

ONCLE MICHEL ? JE SUIS HENRI, LE FILS DE TON FRÈRE JOSEPH.
ENTRE, ENTRE !
... MALHEUREUSEMENT, IL EST MORT QUELQUES SEMAINES AVANT LA LIBÉRATION !
LE PAUVRE ! COMME IL A DÛ SOUFFRIR !
PARLES-TU ENCORE YIDDISH, ONCLE ?
JE NE PEUX PLUS, HENRI !

MA FEMME EST POLONAISE CATHOLIQUE. ELLE M'A OBLIGÉ À COUPER LES PONTS AVEC MON PASSÉ, HENRI !

MERCI POUR TA VISITE, MAIS IL VAUT MIEUX QUE TU NE REVIENNES PAS. ELLE PENSE QUE TU ES INTÉRESSÉ PAR MON ARGENT. TU COMPRENDS !

VOILÀ, TU SAIS À PEU PRÈS TOUT. JE VIENS D'APPRENDRE SON DÉCÈS À CHARLEROI.
RIP
MICHEL KICHKA

EN 1992, MON NEVEU YARON (FILS AÎNÉ DE HANNAH) PARTICIPAIT À UN SÉMINAIRE SUR LA SHOAH AU YAD VASHEM. SON PREMIER RÉFLEXE FUT DE FAIRE DES RECHERCHES SUR LE NOM KICHKA POUR ESSAYER D'EN SAVOIR PLUS SUR SON GRAND-PÈRE.
MA SOEUR ET MOI NE L'AVIONS JAMAIS FAIT PUISQUE NOUS ÉTIONS "SEULS AU MONDE" !
ET LÀ, SURPRISE !!
יד ושם
דף-עד
Photo
Kiszka
Joseph
Poland
Belgium
Shoshana
Poznanski (Kiszka)
Sister
1953
YARON MIT LA MAIN SUR UNE FICHE DE RECHERCHE REMPLIE EN 1953 PAR LA SOEUR DE JOSEPH KICHKA, SHOSHANA, VIVANT À HOLON, DANS LA BANLIEUE DE TEL-AVIV, DEPUIS 1932. ELLE RECHERCHE LA FAMILLE KICHKA DE BELGIQUE, DONT ELLE EST SANS NOUVELLE DEPUIS 1942.
ALLÔ, PAPA...
TU ES ASSIS ?
J'AI UNE NOUVELLE EXTRAORDINAIRE... TU ENTENDS ?
TU... TU ES SÛRE ?! C... C'EST IN-CROY-YABLE !!
GÉNIAL, HANNAH...
DÈS QUE T'AS PLUS D'INFOS, TU M'APPELLES !
QUAND HANNAH EST ALLÉE À HOLON, UNE MAUVAISE ET UNE BONNE NOUVELLE L'ATTENDAIENT.
SHOSHANA A ÉTÉ MA VOISINE PENDANT 50 ANS ! ELLE NOUS A QUITTÉS L'AN DERNIER. UNE FEMME ADORABLE !
MAIS VOUS AVEZ DE LA CHANCE, MADAME, J'AI CONSERVÉ LE NUMÉRO DE TÉLÉPHONE DE SA SOEUR BLOUMA, D'ANGLETERRE.
ELLE VENAIT LUI RENDRE VISITE TOUS LES ANS... AH ! LE VOILÀ !!

NOUS INVITÂMES BLOUMA ET SON MARI À JÉRUSALEM. ELLE ME CONDUISIT SUR LA TOMBE DE MES ARRIÈRE-GRANDS-PARENTS DANS LE VIEUX CIMETIÈRE DE TEL-AVIV. JE N'ÉTAIS DONC PAS LE PREMIER KICHKA EN ISRAËL ! PAS FACILE D'ÉLABORER UN ARBRE GÉNÉALOGIQUE DONT PRESQUE TOUTES LES BRANCHES ONT ÉTÉ ARRACHÉES ET BRÛLÉES.

Merci à Antoine de Saint-Exupéry.

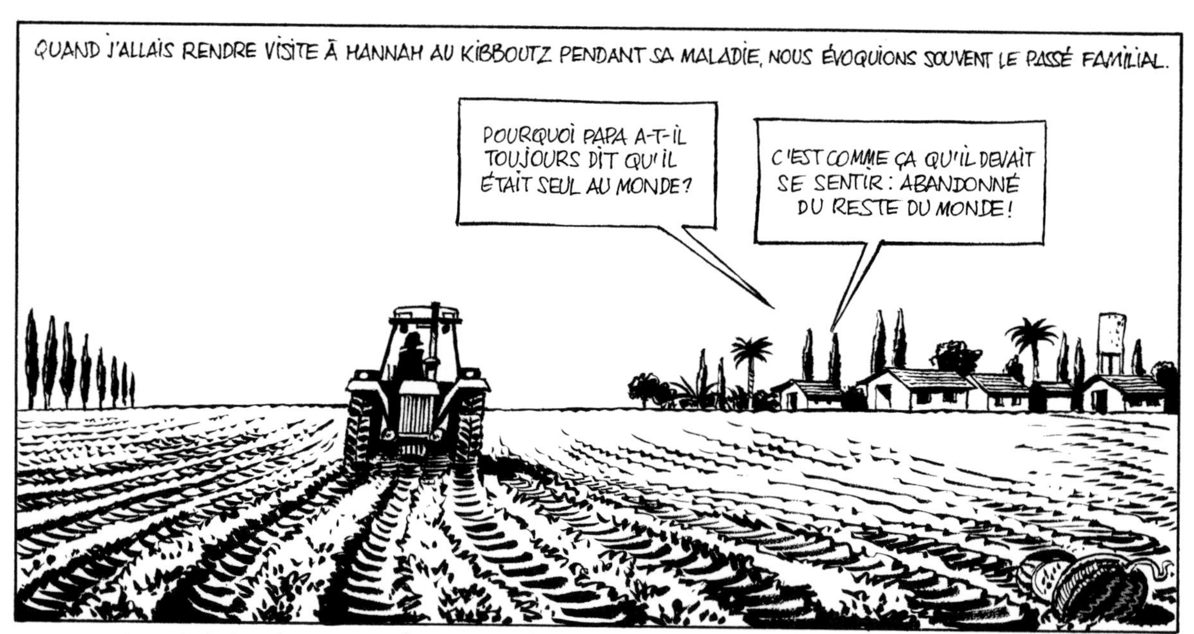

NOUS AVIONS ÉTÉ ÉLEVÉS SOUS LE MÊME TOIT, MAIS NOS ANALYSES DIVERGEAIENT PARFOIS. ON VOULAIT COMPRENDRE.

CONTRE TOUTE LOGIQUE, NOUS DEVIONS COMPRENDRE NOS PARENTS. QUE DE COMPASSION DANS NOTRE AMOUR.

NOUS AVIONS FAIT NOTRE VIE ET AVIONS DÉPASSÉ LE STADE DES COMPTES À RÉGLER.

JE RENDS RÉGULIÈREMENT VISITE À PAPA. UN MATIN, JE L'INVITE À PRENDRE UN PETIT DÉJEUNER DANS SON QUARTIER. HISTOIRE DE PASSER UN MOMENT AGRÉABLE ENSEMBLE.

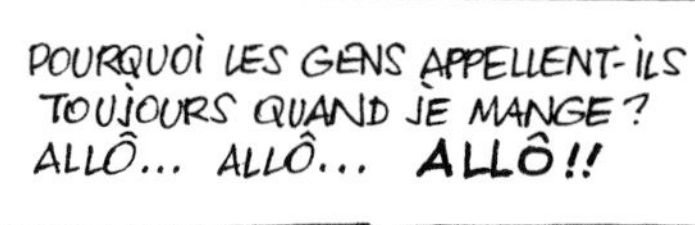

JE SAIS, PAPA. MAIS JE SUIS TON FILS, PAS UN LYCÉEN QUI T'A ACCOMPAGNÉ UNE FOIS À AUSCHWITZ. ET JE REMARQUE UNE CHOSE :
ptic
MODE
Chocolat
INTERDIT SAUF CHABBAT !

IL Y A DEUX HENRI KICHKA. LE PUBLIC ET LE PRIVÉ. LE PUBLIC EST FORMIDABLE. ET JE TROUVE LE PRIVÉ PARFOIS TRÈS RÂLEUR !
ET TOI, TU SAIS TOUJOURS TOUT MIEUX QUE LES AUTRES.

IL N'A PAS L'HABITUDE QUE JE LUI PARLE AUSSI FRANCHEMENT. IL EST VEXÉ ET MOI UN PEU SOULAGÉ !
DÉFENSE D'AFFICHER
Chic
PAPA, TON PORTABLE !
FOUTU PORTABLE ! AVANT, JE VIVAIS TRÈS BIEN SANS !
Au Bon Coin
Chic
Chic
Chic

JE ME SOUVIENS QU'À LA MAISON IL SE PLAIGNAIT SOUVENT. DE LA MÉTÉO, DU BRUIT DES MOTOS, DE SON FLASH QUI NE MARCHAIT PAS, DES COUVERTS TROP LISSES QUI LUI GLISSAIENT DES MAINS, DES CLIENTES QUI ARRIVAIENT À L'HEURE DES REPAS OU QUI N'ARRIVAIENT PAS. IL SE PLAIGNAIT PARCE QU'IL LE POUVAIT. DANS LES CAMPS, CEUX QUI SE PLAIGNAIENT ÉTAIENT SOIGNÉS D'UNE BALLE DANS LA NUQUE. POUR SURVIVRE, IL FALLAIT PASSER INAPERÇU.

IL AVAIT APPRIS À NE PAS SE PLAINDRE QUAND IL SOUFFRAIT...

À NE PAS PLIER LE GENOU SOUS DES CHARGES PLUS LOURDES QUE LUI...

À PARAÎTRE EN FORME QUAND IL ÉTAIT MALADE...

À NE PAS SALIVER QUAND IL AVAIT FAIM.

IL ESTIME AVOIR BIEN MÉRITÉ LE DROIT DE SE PLAINDRE ET AUSSI DE DIRE CE QU'IL A ENVIE QUAND IL EN A ENVIE, QUITTE À BLESSER QUELQU'UN AU PASSAGE. SES TÉMOIGNAGES ET SON LIVRE ONT FAIT DE LUI UN HOMME RESPECTÉ, ADMIRÉ, MÉDAILLÉ ET MÉDIATISÉ. SON STATUT EST PASSÉ DE VICTIME DE LA SHOAH À HÉROS DE LA SHOAH.

LE REVERS DE LA MÉDAILLE EST QU'IL NE PARLE PLUS QUE DE ÇA.

ALORS, QUE VAUT-IL MIEUX, LE SILENCE OU LA PAROLE ? FRANCHEMENT, JE SUIS INCAPABLE DE LE DIRE.

IL EST DE TOUTES LES COMMÉMORATIONS ; UN MUSÉE DE LA DÉPORTATION À VIELSALM PORTE SON NOM ; LES PAGES DE SON AGENDA SONT NOIRES DE RENDEZ-VOUS.
VIELSALM
Espace
HENRI KICHKA
13 Avril
Conférence École
Cérémonie Shoah
(sieste)
dédicace livre
Courrier
Avril 14
départ Auschwitz
Aéroport Bruxelles
Bus Varsovie
témoignage
(sieste)
Courrier
ANNIVERSAIRE !!!
... ON VIENT ME PRENDRE DANS CINQ MINUTES CAR JE TÉMOIGNE AU LUXEMBOURG, PUIS J'ACCOMPAGNE LE MINISTRE DE LA DÉFENSE À AUSCHWITZ, APRÈS JE SUIS PORTE-DRAPEAU DES ANCIENS DE BUCHENWALD CAR JE SUIS LE SEUL ENCORE CAPABLE DE TENIR DEBOUT. TU COMPRENDS : MAX EST MORT, JACQUES EST SUR UNE CHAISE ROULANTE, JOSEPH A L'ALZHEIMER ET MAURICE NE SORT PLUS DE CHEZ LUI. PUIS JE VAIS DÉDICACER MON LIVRE AU LYCÉE SAINTE-GUDULE, LES BONNES SOEURS M'ADORENT. APRÈS ÇA, JE SERAI L'INVITÉ DU JT SUR RTBF. DEMAIN, JE REÇOIS UNE MÉDAILLE DES ANCIENS COMBATTANTS DE LA DEUXIÈME ARMÉE AMÉRICAINE, PUIS JE DOIS ENCORE RÉPONDRE À UNE MONTAGNE DE COURRIER EN RETARD. OUF !! JE CROIS QUE J'AI UN EMPLOI DU TEMPS PLUS CHARGÉ QUE LE TIEN, MICHEL !
CFP
PLANTU
Bravo
ma maman

LORS D'UNE ÉNIÈME VISITE CHEZ LUI, JE RECHERCHE LES LIVRES DANS LESQUELS, PETIT, EN CACHETTE, J'AI APPRIS LA SHOAH PAR L'IMAGE.
PUTAIN !! OÙ A-T-IL RANGÉ CES BOUQUINS ?

ÇA FAIT DES DÉCENNIES QU'ILS SONT LÀ, ET MAINTENANT QUE J'EN AI BESOIN, IMPOSSIBLE DE METTRE LA MAIN DESSUS !

HAAA !! RIEN DE TEL QU'UNE BONNE SIESTE !

DIS, PAPA, OÙ SONT PASSÉS TES ANCIENS LIVRES SUR LA SHOAH ?

JE LES AI DONNÉS À LA FONDATION AUSCHWITZ. J'AVAIS BESOIN DE FAIRE DE LA PLACE DANS MES ÉTAGÈRES. TU NOUS PRÉPARES UN P'TIT CAFÉ PENDANT QUE JE SIGNE MES DÉDICACES ?
DONNÉS !! JE COMPTAIS TELLEMENT DESSUS POUR MON TRAVAIL D'ÉCRITURE !

POURQUOI NE ME LES AS-TU PAS D'ABORD PROPOSÉS ?
TU AS TELLEMENT DE LIVRES QUE TU NE SAIS PLUS OÙ LES RANGER !

JE M'APERÇOIS QU'IL A TOTALEMENT RÉVOLUTIONNÉ SA BIBLIOTHÈQUE. LES LIVRES AVEC LESQUELS J'AI GRANDI ET QUE JE CONSIDÉRAIS UN PEU COMME MIENS ONT DISPARU. LE LIVRE QU'IL A ÉCRIT LES A REMPLACÉS. COMME SI LA GRANDE HISTOIRE AVAIT CÉDÉ LA PLACE À SON HISTOIRE PERSONNELLE. LES ÉTAGÈRES SONT REMPLIES DE CLASSEURS, D'ALBUMS DE PHOTOS, DE CASSETTES VIDÉO ET DE DVD, RANGÉS PAR SUJET ET PAR ANNÉE : AUSCHWITZ 1992, AUSCHWITZ 2003, AUSCHWITZ....

IL VIT DANS UN AUTRE TEMPS. SA MONTRE S'EST ARRÊTÉE LE JOUR DE SON ARRESTATION. MAINTENANT QU'IL A CÉLÉBRÉ SES 85 ANS, IL SE PROJETTE DANS L'ÉTERNITÉ. SI SEULEMENT IL LE POUVAIT, IL TÉMOIGNERAIT AD VITAM AETERNAM, JUSQU'À CE QU'IL DEMEURE LE DERNIER TÉMOIN VIVANT. MOI AUSSI, J'AIMERAIS QU'IL NE MEURE JAMAIS.

À 31 ANS, QUAND J'AI OBTENU MON PERMIS, CE FUT COMME UNE GRANDE VICTOIRE SUR LE DESTIN.

TU VOIS, PAPA, C'EST UN JEU D'ENFANT!

N'EMPÊCHE QUE PATTON S'EST TUÉ DANS UN ACCIDENT DE JEEP APRÈS LA LIBÉRATION!

IL A TOUJOURS REFUSÉ LE PROGRÈS, TOUJOURS EU PEUR DE LA TECHNOLOGIE. POUR SES 75 ANS, NOUS AVIONS DÉCIDÉ DE LUI OFFRIR UN FAX, LUI QUI ADORE NOUS ENVOYER DES LETTRES.
TU NE DEVRAS PLUS FAIRE LA QUEUE À LA POSTE POUR UN TIMBRE.
GARANTI TROIS ANS!
TU VERRAS, C'EST SIMPLE, IL SUFFIT DE PRESSER LE BOUTON "SEND"!
TU PEUX MÊME T'EN SERVIR POUR SCANNER TES PHOTOS ET TES DESSINS. GÉNIAL, NON?!
TES LETTRES PARTIRONT SUR-LE-CHAMP ET NOS RÉPONSES T'ARRIVERONT INSTANTANÉMENT!
ET TU PEUX AUSSI T'EN SERVIR COMME TÉLÉPHONE!
ALORS, PAPA, ÇA TE PLAÎT?
easy FAX
BON, J'AI JUSTEMENT UNE LETTRE À POSTER, ÇA ME FERA UNE PETITE MARCHE ET LA POSTIÈRE M'ADORE, ON PARLE DE LA SHOAH ET D'ISRAËL, ET JE LUI AI DÉDICACÉ MON LIVRE!
MERCI QUAND MÊME POUR LE FAX. JE VOUS L'OFFRE. VOUS EN AUREZ MEILLEUR USAGE! À BIENTÔT.
?? ?
easy FAX
PAS GRAVE! ON A ESSAYÉ! DE TOUTE FAÇON, TÔT OU TARD, IL NOUS REFILE TOUJOURS LES CADEAUX QU'ON LUI A OFFERTS!
LE SEUL CADEAU QU'IL ATTENDE DE MOI EST QUE JE L'ACCOMPAGNE À AUSCHWITZ!

VIENS AVEC MOI À AUSCHWITZ
QUAND VIENDRAS-TU **ENFIN** AVEC MOI À AUSCHWITZ ?
...JE PARS DEMAIN MATIN À AUSCHWITZ ET TOI, TU N'ES JAMAIS VENU !
BIIIP! VOUS AVEZ UN NOUVEAU MESSAGE : MITCHI, QUAND VIENDRAS-TU À AUSCHWITZ ?
HEUREUSEMENT QU'IL N'A PAS DE MAIL !
MOI, J'Y SUIS ALLÉ AVEC MON PÈRE. FAIS-LE TANT QU'IL EN A ENCORE LA FORCE !
TU DEVRAIS Y ALLER AVEC PAPA. MOI, JE L'AI FAIT. ET PUIS IL VIEILLIT, TU SAIS !
JE SAIS !
MOI, LE MIEN EST MORT TROP TÔT. JE REGRETTE DE NE PAS L'AVOIR FAIT !
DES MILLIERS DE LYCÉENS L'Y ACCOMPAGNENT DEPUIS QUINZE ANS. POURQUOI PAS MOI ?
ALLEZ À AUSCHWITZ !!
QU'ATTENDEZ-VOUS ?
COMMENT OSEZ-VOUS ?
VOUS ÊTES SON FILS !
VOUS DEVRIEZ !
NOUS Y SOMMES ALLÉS !
VOUS DEVEZ !!
IL LE FAUT !!
C'EST VOTRE DEVOIR !!
FILS INGRAT !
RIDICULE !

IL N'Y A QU'OLIVIA QUI ME COMPRENNE ET M'AIDE À RÉSISTER À LA PRESSION.

DIS, PAPA, QUELLES SONT LES QUESTIONS QUE LES LYCÉENS TE POSENT LE PLUS SOUVENT ?
LA PREMIÈRE : QUELLE ÉTAIT VOTRE RELATION AVEC VOTRE PÈRE DANS LES CAMPS ?
ET QUE LEUR RÉPONDS-TU ?
TOUT EST DANS MON LIVRE !
C'EST COMME QUAND JE LUI DEMANDE COMMENT IL SE SENT AU TÉLÉPHONE. IL ME RÉPOND TOUJOURS : "JE T'AI TOUT ÉCRIT DANS UNE LONGUE LETTRE !"
MAIS ENCORE ?
MON PÈRE ET MOI, NOUS PARLIONS TRÈS PEU. J'ESSAYAIS DE LE MÉNAGER. IL S'AFFAIBLISSAIT !
ET LA DEUXIÈME QUESTION ?
POURQUOI LES NAZIS HAÏSSAIENT TANT LES JUIFS AU POINT DE VOULOIR LES EXTERMINER ?
ET QUE LEUR RÉPONDS-TU ?
J'AI PRATIQUEMENT LU TOUS LES OUVRAGES QUI TRAITENT DE LA QUESTION...
ET...?
JE N'AI JAMAIS TROUVÉ DE RÉPONSE !
JE M'INTÉRESSE ET LUI POSE DES QUESTIONS...
... MAIS JE N'AI PAS ENVIE D'Y ALLER.

Avril 2001
Janvier 2005
JE SAIS QU'IL SERAIT HEUREUX QUE JE ME JOIGNE À UN DES GROUPES QU'IL ACCOMPAGNE ET QUE J'ENTENDE SON TÉMOIGNAGE.
MAIS JE NE SUIS PAS SON PUBLIC.
EN TANT QUE FILS, JE PENSE AVOIR DROIT À MIEUX : UNE VISITE, JUSTE LUI ET MOI, SANS PHOTOS, SANS DISCOURS, SANS DÉDICACES.
EST-CE TROP DEMANDER ?
Février 2009
AUSCHWITZ VIP

J'AI LU SON LIVRE DEUX FOIS. J'AIMERAIS TELLEMENT QU'IL ME RACONTE CE QU'IL N'A PAS PU ÉCRIRE.

J'AI PARFOIS LE SENTIMENT QUE SON TÉMOIGNAGE S'EST SUBSTITUÉ À SA MÉMOIRE. TÉMOIGNER EST SA RAISON D'ÊTRE.

CELA FAIT 67 ANS QUE LA MARCHE DE LA MORT SE PROLONGE. IL MARCHE TANDIS QUE S'ACCUMULENT DERRIÈRE LUI SES PROCHES DISPARUS.

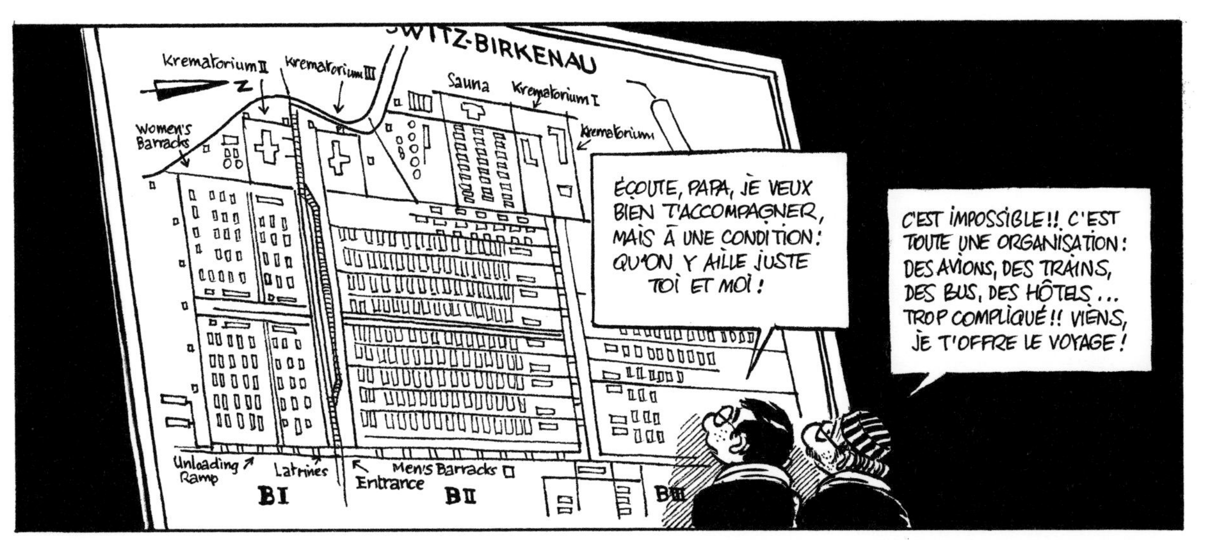

AU FOND, CES VOYAGES ONT TOUJOURS ÉTÉ ORGANISÉS POUR LUI : EN 42 PAR LES ALLEMANDS ET AUJOURD'HUI PAR LA FONDATION AUSCHWITZ. À LA DIFFÉRENCE PRÈS QU'EN 42, CE N'ÉTAIT PAS UN ALLER-RETOUR.

À AUSCHWITZ, DES JEUNES ISRAÉLIENS DÉFILENT AVEC LE DRAPEAU. JE TROUVE CELA DÉPLACÉ. LA SHOAH APPARTIENT À TOUTE L'HUMANITÉ. LES CAMPS, DU MOINS CE QU'IL EN RESTE, SONT D'IMMENSES CIMETIÈRES OÙ CHAQUE PAS SOULÈVE LES CENDRES DE NOTRE CIVILISATION. IL FAUT S'Y RENDRE EN TOUTE HUMILITÉ.

C'EST À BUCHENWALD QUE J'AIMERAIS ME RENDRE, LE CAMP OÙ IL ARRIVA APRÈS LA MARCHE DE LA MORT, LÀ OÙ MOURUT SON PÈRE ET D'OÙ IL FUT LIBÉRÉ. IL N'Y EST JAMAIS RETOURNÉ!

DEPUIS TOUT PETIT,
JE SUIS UN TÉMOIN PRIVILÉGIÉ,
MAIS JE PENSE QU'IL NE
S'EN EST PAS RENDU COMPTE.
NI DU FAIT QUE SON SILENCE
AURA ÉTÉ ÉLOQUENT.
L'ANNÉE PROCHAINE,
JE L'Y ACCOMPAGNERAI.

CE SERA MON CADEAU D'ANNIVERSAIRE.

PAPA MESURE TOUT PAR RAPPORT À SA PROPRE SOUFFRANCE. À 13 ANS, JE ME SUIS PRESQUE FAIT TUER PAR UNE VOITURE EN COURANT APRÈS UN BALLON SUR LA CHAUSSÉE.
HÔPITAL de BAVIÈRE
M... MICHEL... QU'EST-CE QUE TU M'AS FAIT?
P... PAPA... J... JE SUIS DÉSOLÉ DE TE F... FAIRE.. TANT DE PEINE!
LANC

À 40 ANS, ALORS QU'IL ÉTAIT EN VISITE, J'ÉTAIS ANÉANTI PAR UN VIRUS TRÈS AGRESSIF.
MOI, JE N'AI JAMAIS ÉTÉ MALADE! JE NE SAIS PAS SI TU AURAIS TENU DANS LES CAMPS!
QU'EST-CE QU'IL ESSAIE DE FAIRE, LÀ? ME REMONTER LE MORAL OU ME LE SAPER?

RÉCEMMENT, J'AI LU LE TÉMOIGNAGE DE SON BON AMI LÉON, ANCIEN RÉSISTANT TORTURÉ PAR LA GESTAPO AU FORT DE BREENDONK. LA RÉACTION DE PAPA NE M'A PAS SURPRIS.
VRAIMENT POIGNANT, LE RÉCIT DE TON AMI LÉON!
ÇA TIENT SUR 8 PAGES. MOI, J'EN AI ÉCRIT 200!

À PART SES RÂLERIES FRÉQUENTES, IL LUI ARRIVAIT DE LÂCHER UN SOUVENIR DES CAMPS, COMME CE JOUR DE L'ANNIVERSAIRE DE MES 22 ANS, EN FAMILLE.
...ET QUAND LE SS LUI A FRACASSÉ LE CRÂNE AVEC SA GROSSE MATRAQUE, UN BERGER ALLEMAND EST VENU LUI LÉCHER LA CERVELLE ÉCLATÉE DANS UNE MARE DE SANG!
HENRI, IL Y A DES ENFANTS À TABLE, LE MOMENT EST MAL CHOISI !

LUI QUI N'AVAIT PAS L'HABITUDE D'ÊTRE CONTRARIÉ A TRÈS MAL PRIS LA REMARQUE.
JUSTEMENT, IL EST TEMPS QU'ILS SACHENT LA VÉRITÉ!

UN JOUR, NOUS AVONS OFFERT UN CHIEN AUX GARÇONS, QUI ADORAIENT LES ANIMAUX.
ON VA LUI CONSTRUIRE UNE JOLIE NICHE!
JE CROIS QU'IL A FAIM !
JE PEUX LE CARESSER ?
jaffa oranges

TANGO ÉTAIT MALIN, ESPIÈGLE ET SAUVAGEON, UN PEU COMME NOUS !

JE M'Y SUIS HABITUÉ ET ATTACHÉ. QUAND ON SE BALADAIT, JE LUI PARLAIS.
L'AIR DE RIEN, TANGO, TU M'AS RÉCONCILIÉ AVEC LA RACE CANINE!
8
6

VISITE APRÈS VISITE, PAPA S'Y EST LUI AUSSI ATTACHÉ. POUR LA PREMIÈRE FOIS, JE LE VOYAIS S'INTÉRESSER À UN CHIEN. DANS CHACUNE DE SES LETTRES, IL DEMANDAIT DE SES NOUVELLES. QUAND TANGO NOUS A QUITTÉS SUITE À UNE MALADIE CARDIAQUE, PAPA A ÉTÉ SINCÈREMENT AFFECTÉ.

AVEC LES GARÇONS, NOUS AVONS DÉCIDÉ QU'IL MÉRITAIT UN ENTERREMENT DIGNE. APRÈS CONCERTATION, NOUS SOMMES TOMBÉS D'ACCORD SUR L'ENDROIT OÙ NOUS ALLIONS LE FAIRE.

TANGO REPOSE EN PAIX À JÉRUSALEM,
À L'OMBRE D'UN GRAND PIN
FACE À LA COLLINE DU YAD VASHEM,
LE MÉMORIAL DE LA SHOAH.

DU HAUT DE CETTE COLLINE, FLOTTANT
DANS LE VIDE AU-DESSUS DE LA VALLÉE,
UN WAGON DE TRANSPORT DE 1942.

AVEC LE TEMPS ET UN BON VIN, UN HUMOUR DE LA SHOAH A TROUVÉ SA PLACE ENTRE MON PÈRE ET NOUS.
À VOT' SANTÉ, HERR KOMMANDANT! AUSCHWITZ, C'ÉTAIT LE CLUB MED!
C'EST ÇA! ET LES KAPOS, C'ÉTAIENT VOS G.O.?
HI HI HI!
HA HA HA!
HIHIHI!!
HA HA HA HA HA!!
... ET TES BEAUX PYJAMAS À LIGNES, C'ÉTAIT LA MODE DU PRÊT-À-DÉPORTER?
HAHAHA!!
HOU! HOU! HOU!
HI HI HI HIHI!!
OUI, ET ON INSCRIVAIT NOTRE NUMÉRO DE TÉLÉPHONE DÉPORTABLE SUR L'AVANT-BRAS!
HO! HO! HO!
ARRÊTEZ!! J'EN PEUX PLUUUUUS!
HA! HA! HA!!!
ET COMME DESSERT, ON AVAIT DROIT À DES PETITS FOURS!!
HA HA HA!!
HIHIHI!!
HA HA HA!!

T'ES SÛR, PÉPÉ...
...PAS DE LA CRÈME BRÛLÉE?
LÀ, PAPA, YONATHAN T'A BIEN EU!
ARRÊTEZ! J'EN PEUX PLUS!!
JE M'AVOUE VAINCU, TU M'AS CLOUÉ LE BEC!
À CE MOMENT PRÉCIS, OLIVIA RENTRE DE SON ENTRAÎNEMENT DE KARATÉ.
BRAVO! ON VOUS ENTEND JUSQUE DANS LA RUE!
UNE HEURE QU'ON BLAGUE SUR LA SHOAH!! TU NE SAIS PAS CE QUE TU AS RATÉ!!
NE VOUS DÉRANGEZ SURTOUT PAS POUR MOI. J'AI BESOIN D'UNE BONNE DOUCHE!
COMPLÈTEMENT MALADES!
FIN

KICHKA © 01.12

ÉPILOGUE

PENDANT DIX ANS, J'AI ÉTÉ HABITÉ PAR MON LIVRE. JE L'ÉCRIVAIS DANS MA TÊTE EN ARPENTANT LES RUES DE JÉRUSALEM ET DE PARIS.
JERUSALEM falafel
Holy Books
Galerie
librairie
Antiquaire

DES PAGES SE DESSINAIENT DANS MON SOMMEIL POUR S'EFFACER AU RÉVEIL.

JE ME TROUVAIS TOUTES LES BONNES RAISONS DU MONDE POUR NE PAS ME CONSACRER À L'ÉCRITURE.
DEPARTURES
TIME
GATE
EXCUSE
DELAY 1 TROP DE TRAVAIL
DELAY 2 TROP D'OCCUPATIONS
DELAY 3 TROP DE VOYAGES
DELAY 4 TROP D'OBLIGATIONS
DELAY 5 TROP DE FATIGUE
DELAY 6 TROP TARD
to all gates
EXIT
i

IL FALLAIT QUE JE M'EN DÉLESTE. J'ÉTAIS COMME UN CAMION POUBELLE QUI CHERCHE DÉSESPÉRÉMENT LA DÉCHARGE.

UN JOUR, À TEL-AVIV, JE ME SUIS CONFIÉ À UNE AMIE PSY, SPÉCIALISÉE DANS LE POST-TRAUMA DE LA SHOAH, JE LUI AI DIT QUE LE BESOIN DE RÉALISER UN LIVRE DEVENAIT URGENT.

ELLE M'AVAIT CONVAINCU. EN QUELQUES SEMAINES, J'AI REMPLI LES PAGES D'UN CAHIER DE SOUVENIRS ET D'ANECDOTES. JE L'AI APPELÉ "DEUXIÈME GÉNÉRATION" EN ME DISANT QU'IL NE ME RESTAIT PLUS QU'À LE DESSINER !!

J'AVAIS UNE GRANDE EXPÉRIENCE DE DESSINATEUR DE PRESSE ET DE LIVRES POUR ENFANTS.
MAIS DESSINER CETTE BD, C'ÉTAIT LOIN D'ÊTRE ANODIN.
HOKUSAI
DAUMIER
UNGERER
DUBOUT
Sempé
ÉTAIS-JE PRÊT POUR LE GRAND SAUT?
BD
LE SERAIS-JE JAMAIS?
C'EST OLIVIA QUI M'A DONNÉ LA RÉPONSE DONT J'AVAIS BESOIN : "TON LIVRE, TU NE LE FERAS JAMAIS!"
AAAAAAAHHHH

QUELQUES SEMAINES PLUS TARD, JE DÉBARQUAIS À LIÈGE DANS L'APPARTEMENT D'UN AMI. PENDANT UNE SEMAINE, J'AI TRAVAILLÉ AU RYTHME DE 18 HEURES PAR JOUR. L'ADRÉNALINE COULAIT EN MOI COMME UN FLEUVE DÉMONTÉ QUE RIEN NE POUVAIT ARRÊTER. ON DIT SOUVENT QU'UNE PERSONNE MOURANTE VOIT SA VIE DÉFILER DEVANT LES YEUX. MOI, C'ÉTAIT PLUTÔT LE CONTRAIRE : AU FUR ET À MESURE QUE LES PAGES PRENAIENT FORME, JE SENTAIS LA VIE MONTER EN MOI.

À 8 HEURES DU MATIN, JE SAUTAIS DU LIT LES TRAITS TIRÉS ET LES YEUX CERNÉS.
MAIS AVEC UNE DOUCE SENSATION DE LÉGÈRETÉ.

JE NE M'ÉTAIS JAMAIS SENTI AUSSI BIEN.

Remerciements

À ma femme Olivia, qui a tout mis en œuvre pour que je puisse réaliser ce projet qui me tenait tant à cœur depuis plus de dix ans, qui m'a entouré d'une bulle de protection où j'ai pu me jeter corps et âme dans ce livre.
À mes fils David, Yonathan et Eli, qui connaissaient mes histoires et attendaient de me les voir dessiner.
À Gisèle de Haan, mon éditrice, qui a cru en mon ambition dès notre première rencontre et m'a donné toute sa confiance, son expérience, son métier, son écoute, sa sensibilité, son intelligence et son soutien lors de nos rencontres hebdomadaires sur Skype, pour m'aider de faire de mon puzzle un véritable livre.
Aux éditions Dargaud, la maison de mes années *Pilote*, et sa formidable équipe, qui ont soutenu mon projet de bout en bout.
À mes amis Christian Rossi, Jean-Louis Tripp et Didier Pasamonik, dont l'attente et les encouragements ont été pour moi un moteur.
À mon ami Émile Bravo, qui m'a convaincu que je "pouvais" et que je "devais".
À mon ami Jul, qui m'a présenté à Gisèle après avoir vu mes premières pages.
À mes bons amis Thomas Alfandari, Dany et David Elalouf, chez qui je me suis installé et isolé, à Liège et à Paris, pour concrétiser les 10 premières pages, qui furent décisives pour la poursuite du projet.
À mes bons amis Seffi et Anat, qui m'ont reçu dans leur Galilée pastorale où sont nées les 35 premières pages ayant donné corps à mon livre en gestation.
À Bezalel, l'Académie des beaux-arts de Jérusalem, qui m'a octroyé en 2008 une petite bourse de recherche m'ayant permis de jeter par écrit les bases de mon histoire.
À Aron Szpiro, pour son aide en yiddish.

Du même auteur

Ces animaux qui nous gouvernent (collectif) Éd. Courrier international – France 2011
Sonnets de Shakespeare Éd. GraubArt – Israël 2001
Dégage ! (collectif) Éd. Cartooning for Peace – France 2011
L'intégrale Lucky Luke (collectif) Éd. Atlas – France 2011
Dessins désarmants Éd. Berg International/TV5 Monde – France 2010
100 dessins pour Haïti (collectif) Éd. Casterman 2010
Foutez-nous la paix ! (collectif) Éd. Beaux-Arts/Mémorial de Caen – France 2010
Obama hauts et bas - 100 dessins du monde entier (collectif) Éd. Courrier international – France 2009
Permis de croquer (collectif) Éd. du Seuil/Mairie de Paris – France 2008
Rire contre le racisme (collectif) Éd. Jungle – France 2007
Un nouveau monde ? (collectif) Éd. de La Martinière/Courrier international – France 2002

http://fr.kichka.com/